Far East
Chinese for Youth

远东少年中文

(Simplified Character)

Student's Book
Level 2

Wei-ling Wu 吴威玲
Hai-lan Tsai 蔡海澜
Qing Yang 杨 青

远东图书公司
The Far East Book Co., Ltd.

Published by

Far East Book Co., Ltd.

66-1 Chungking South Road, Section 1

Taipei, Taiwan

www.fareast.com.tw

Distributed by

US International Publishing Inc.

www.usipusa.com

ISBN 957-612-492-1

Preface

Welcome to Book 2 of *Chinese for Youth*! We are delighted that you have decided to continue your journey in this great adventure of learning Chinese. After working with our first book, you have gained basic skills in listening, speaking, reading and writing Chinese. More importantly, you have built a sense of satisfaction and success in learning a new language that is very different from your own. We are so proud of you!

Now, in this second book, we have prepared a great variety of topics for you to expand your abilities for communication. We have also designed interesting activities to guide you to apply the language for real-life situations. Authentic photos of cities, mountains, historic sites and buildings are also included in Book 2 to help you visualize the beauty of Chinese culture. In collaboration with the learning, you will be given the chance to create your dream house as well as fantasy vacations. You will be able to share with your friends your unforgettable journey with details like the weather, food, sightseeing, shopping, etc. You will also have the opportunity to read school schedules, discuss course selections, and talk about campus life. In addition, you will be introduced to titles of Chinese literature pieces such as classic Chinese novels and stories.

We believe that communication is the ultimate goal of learning a foreign language. However, students need support and guidance in developing their communicative abilities. In light of this belief, we have designed a new section, called "Let's Talk" for Book 2, which includes model dialogues for you to follow and to apply into real situations. This section will serve as a "walking stick" to help you build up your confidence and language ability towards the development of the accuracy and quality of communication.

We sincerely hope that along with your teacher's devoted instruction, this book will provide you with an enjoyable and effective learning experience. It will also encourage you in your effort to gain a higher level of language proficiencies.

Acknowledgments

Chinese for Youth is the result of years of persistence and the efforts of many.

The earliest work on this textbook started in 1986 when Wei-ling Wu taught at the Talent Identification Program (TIP) at Duke University. With the support and help from Dr. Robert Sawyer, Dr. Gorden Stanley, and Dr. Richard Kunst of TIP, the first version of the book was introduced and used by the TIP summer school students.

In the following years, with the input of enthusiastic students of the Chinese language program at West Windsor-Plainsboro High School, a more comprehensive framework of the book was shaped. Over the years, a syllabus that could reflect unique features of the Chinese language and promote effective learning was identified, and teaching materials were accumulated.

In the spring of 1996, intensive work on this book for publication was started by a team of teachers. Book 1, which was published in 1997, includes a student book, a workbook, a character book, a teacher's manual, audiotapes, and character cards. Published in 1999, Book 2 extends learning to a higher level with a student book, a workbook, a character book, and a book for answer keys. Upon the request of Chinese programs across the country, Book 3 is in the process of being developed for fall publication in 2001.

We would like to thank our families who have been supportive of our work, and also our colleagues who have given us encouragement and feedback in the development of this textbook program. We would also like to thank the West Windsor-Plainsboro School District (NJ) and Bridgewater-Raritan School District (NJ) for providing us the opportunities to work with wonderful young people who have been the driving force for the development of this book.

Our special thanks to Lucy Lee who proofread the Student Book 1 and gave us valuable comments and detailed suggestions. Our special thanks also to Juliet Chu for her help in shaping the outline of Book 2, to Kevin Wong for editing and making answer keys for Workbook 2, and to Li-kang Chen for developing vocabulary lists along with his computer technology support.

Finally we would like to thank Mr. Peter Pu, Mr. John Pu, Ms. Annie Lin, Ms. Joyce Wu and the staff members of The Far East Book Co. in Taiwan for their enthusiasm, patience, and skillful editorial work that has made *Chinese for Youth* available to the field.

August 2001

Contents

Unit 1   在城里   **In the Cities**····················· 1

Lesson 1   东南西北   East, South, West and North········· 2

Lesson 2   中国城   Chinatown································· 8

Lesson 3   问路   Asking the Way···························· 14

Unit 2   中国住房   **Chinese Dwellings**················· 21

Lesson 4   我住在城里   I Live in the City················ 22

Lesson 5   我的家   My House································ 28

Lesson 6   去朋友的家   Visiting a Friend················ 34

Unit 3   中国的天气   **Weather in China**··············· 41

Lesson 7   天气   Weather·································· 42

Lesson 8   四季   Four Seasons····························· 48

Lesson 9   四季活动   Seasonal Activities················ 54

Unit 4   新年和放假   **Chinese New Year and Vacations**·· 61

Lesson 10   春节   Spring Festival·························· 62

Lesson 11   暑假的打算   Plans for the Summer············· 68

Lesson 12   旅行回来   After the Vacation················ 74

Unit 5   中国的学校   **Chinese Schools**················ 81

Lesson 13   校园   School Campus···························· 82

Lesson 14   学科   Subjects································· 88

Lesson 15   课表   A Class Schedule························· 94

Unit 6   中国文化   **Chinese Culture** ⋯⋯⋯⋯⋯⋯⋯⋯⋯ 101

　　　　　Lesson 16   吃不惯　I Am Not Used to It ⋯⋯⋯⋯⋯ 102

　　　　　Lesson 17   中国故事　Chinese Stories ⋯⋯⋯⋯⋯⋯ 108

　　　　　Lesson 18   笔友　My Chinese Pen Pal ⋯⋯⋯⋯⋯⋯ 114

Index Ⅰ   **Vocabulary (Pinyin—English)** ⋯⋯⋯⋯⋯⋯⋯⋯ 121

Index Ⅱ   **Vocabulary (English—Pinyin)** ⋯⋯⋯⋯⋯⋯⋯⋯ 136

Appendix   **Structure List** ⋯⋯⋯⋯⋯⋯⋯⋯⋯⋯⋯⋯⋯⋯ 151

Unit 1

在城里 Zài Chéng Lǐ

Cultural Information

Beijing and Shanghai

Beijing, literally means "northern capital." It remained the capital for nearly seven centuries, and is now the capital of the People's Republic of China. The historic Tiananmen Square, one of the largest public squares in the world, is in the center of Beijing. Shanghai, one of the most populous cities in the world, is located on China's east coast. Being the economic center of China, Shanghai is highly westernized. It is a busy commercial port, with an active export and import industry that deals with more than 115 different countries.

Chinatowns in America

Chinatowns first emerged in America during the 1850s. Chinese who had worked for the railroads and gold mines clustered together in the big cities. These neighborhoods developed their own distinct cultural identity. There were Chinese markets, schools, temples and groups. Today there are Chinatowns in many cities. The two most well-known are in New York City and in San Francisco. In these cities within cities, Chinese is used on the street and Chinese goods and foods are sold in markets.

Market Places in Streets

In China, there are many "jiē shìchǎng," (or called "zìyóu shìchǎng") where individual stalls are lined up along each side of a street. Some of the "shìchǎng" are "cài shìchǎng," that sell fresh vegetables, fruits, fish and meats. Some "shìchǎng" sell clothes or goods for daily use. At scenic spots, stalls selling souvenirs and Chinese arts and crafts can be found along the roadside. Prices in "jiē shìchǎng" are not listed. Buyers are expected to bargain with sellers.

东南西北 Dōng Nán Xī Běi

西北
xīběi

北
běi

东北
dōngběi

西
xī

东
dōng

西南
xīnán

南
nán

东南
dōngnán

世界地图
shìjiè dìtú

世界	洲	国家	城市
shìjiè	zhōu	guójiā	chéngshì
	亚洲	中国	北京
	Yàzhōu	Zhōngguó	Běijīng
	美洲	美国	华盛顿
	Měizhōu	Měiguó	Huáshèngdùn
	欧洲	英国	伦敦
	Ōuzhōu	Yīngguó	Lúndūn

More New Words

东边	dōngbiān	to the east of...		东方	dōngfāng	in the east of...; eastern; oriental
地方	dìfāng	a place		人口	rénkǒu	population
首都	shǒudū	a national capital		第一	dì yī	the first
南京	Nánjīng	Nanjing		长城	Chángchéng	Great Wall
从来	cónglái	all the time				

Building Blocks

A.

东方市场	Dōngfāng Shìchǎng	_____	Market
南方城市	nánfāng chéngshì	_____	cities
西方国家	xīfāng guójiā	_____	countries
北方饭馆	Běifāng Fànguǎn	_____	Restaurant

B.

地方	dìfāng		place
一个地方	yí ge dìfāng	_____	place
这个地方	zhèi ge dìfāng	_____	place
那个地方	nèi ge dìfāng	_____	place
哪个地方	něi ge dìfāng	_____	place
什么地方	shénme dìfāng	_____	place
好地方	hǎo dìfāng	_____	place
很多地方	hěn duō dìfāng	_____	place
很好的地方	hěn hǎo de dìfāng	_____	place
好玩的地方	hǎowán de dìfāng	_____	place
最好的地方	zuì hǎo de dìfāng	_____	place

Key Structures

1

1. **... zài ...**
   Zhōngguó zài Yàzhōu.

   ···在···
   China is in Asia.

2. **nǎr, shénme dìfāng**
   Xī'ān zài nǎr?
   Xī'ān zài shénme dìfāng?

   哪儿，什么地方
   Where is Xian?
   Where is Xian located?

3. **běifāng, běibiān**
   Běijīng zài Zhōngguó de běifāng.
   Běijīng zài Shànghǎi de běibiān.

   北方，北边
   Beijing is in the northern part of China.
   Beijing is to the north of Shanghai.

4. **... lí ...**
   Běijīng lí Shànghǎi hěn yuǎn.
   Běijīng lí Shànghǎi bú jìn.

   ···离···
   Beijing is far away from Shanghai.
   Beijing is not near Shanghai.

5. **... bǐ ...** (for comparison)
   ... méiyǒu ...
   Wǒ jiā bǐ tā jiā jìn.
   Wǒ jiā bǐ tā jiā jìn yìdiǎnr.
   Wǒ jiā bǐ tā jiā jìn de duō.
   Tā jiā méiyǒu wǒ jiā jìn.

   ···比···
   ···没有···
   My home is closer than his home.
   My home is a little closer than his home.
   My home is much closer than his home.
   His home is not as close as my home.

6. **... shì ... zuì** + adj. + **de ...**
   Zhè shì Běijīng zuì dà de shìchǎng.

   ···是···最···的···
   This is the biggest market in Beijing.

7. verb + **guò**
   Nǐ qùguò Zhōngguó méiyǒu?
   Wǒ qùguò. / Wǒ méi qùguò.
   Wǒ cónglái méiyǒu qùguò Zhōngguó.

   ···过
   Have you ever been to China?
   I have been there./ I have not been there.
   I have never been to China.

8. **dì yī**
   Dì Yī Zhōngxué zài nǎr?
   Shànghǎi shì Zhōngguó dì yī dà chéng.

   第一
   Where is School Number One?
   Shanghai is the biggest city in China.

Let's Talk

1. **Where is...?**

   A: Nánjīng zài nǎr?   B: Zài Běijīng de nánbiān.
   A: Nánjīng lí Běijīng yuǎn bùyuǎn?   B: Nánjīng lí Běijīng bú jìn.

   > Look at a map of China that has pinyin for names of places.
   > Talk about the locations of different places in China.

2. **Which city has more people?**

   A: Shànghǎi de rénkǒu duō bùduō?   B: Hěn duō.
   A: Běijīng ne?   B: Běijīng de rénkǒu méiyǒu Shànghǎi duō.
   A: Shànghǎi shì búshì Zhōngguó   B: Shì.
   rénkǒu zuì duō de chéngshì?

   > Compare: 1. The numbers of students in different schools;
   > 2. The population of different countries.

3. **Which one is closer?**

   A: Tiānjīn lí Běijīng jìn bújìn?   B: Hěn jìn.
   A: Nánjīng ne?   B: Nánjīng lí Běijīng méiyǒu Tiānjīn lí Běijīng
   jìn.
   A: Tiānjīn shì búshì lí Běijīng zuì jìn   B: Shì.
   de chéngshì?

   > Compare: 1. The distance between students' homes;
   > 2. The distance between supermarkets and homes.

4. **Say something about...**

   Follow the example given and finish the chart in English:

Name	City/Country	Location	Distance	Specialties
Shanghai	the biggest city in China	in the eastern part of China	far away from Beijing	high population, Shanghai's Bund (Wàitān) — famous
Beijing				a lot of fun places, Tiananmen, Peking duck
Nanjing				mountains, waters, pretty, Zhongshan Ling (Sun Yat-sen's tomb)

   Now say something about Beijing and Nanjing. The following example will be helpful to you, but you should not limit yourself to these sentences or to their sequence.

   > Shànghǎi shì Zhōngguó dì yī dà chéng. Shànghǎi zài Zhōngguó de dōngfāng.
   > Shànghǎi lí Běijīng hěn yuǎn. Shànghǎi yǒu hěn duō rén.
   > Shànghǎi de Wàitān hěn yǒumíng.
   > Wǒ qùguò Shànghǎi. Wǒ hěn xǐhuān Shànghǎi.

1

--- 你去过上海没有？

--- 去过。我还去过南京。

--- 你喜欢上海还是南京？

--- 两个地方我都喜欢。
上海很大，有很多好东
西。南京没有上海大，
可是南京又有山又有水，
美极了。

中国是世界上人口最
多的国家。中国的首都是
北京。北京很美，有很多
好玩的地方。长城在北京
城的北边。上海在中国的
东方，是中国第一大城。
南京在上海的北边，北京
的南边。中国还有很多有
名的城市。我从来没有去
过中国。我真想去。

--- Nǐ qùguò Shànghǎi méiyǒu?

--- Qùguò. Wǒ hái qùguò Nánjīng.

--- Nǐ xǐhuān Shànghǎi hái shì Nánjīng?

--- Liǎng ge dìfāng wǒ dōu xǐhuān.
Shànghǎi hěn dà, yǒu hěn duō hǎo
dōngxi. Nánjīng méiyǒu Shànghǎi dà,
kěshì Nánjīng yòu yǒu shān yòu yǒu shuǐ,
měi jí le.

Zhōngguó shì shìjiè shàng rénkǒu zuì duō
de guójiā. Zhōngguó de shǒudū shì Běijīng.
Běijīng hěn měi, yǒu hěn duō hǎowán de
dìfāng. Chángchéng zài Běijīngchéng de
běibiān. Shànghǎi zài Zhōngguó de
dōngfāng, shì Zhōngguó dì yī dà chéng.
Nánjīng zài Shànghǎi de běibiān, Běijīng de
nánbiān. Zhōngguó hái yǒu hěn duō yǒumíng
de chéngshì. Wǒ cónglái méiyǒu qùguò
Zhōngguó. Wǒ zhēn xiǎng qù.

Reading Tasks for Pleasure

Task One   Can you guess the locations of the following places?

山东   Shāndōng   山西   Shānxī

东欧   Dōng Ōu   西欧   Xī Ōu

Task Two   Do you know...?

世界上有七大洲。

亚洲是世界最大的洲。

亚洲是世界人口最多的一个洲。

亚洲有四十多个国家和地区(dìqū—region)。

世界上有一百五十多个国家。

俄罗斯(Èluósī—Russia)是世界最大的国家，

加拿大 (Jiānádà—Canada)第二，

中国第三，美国第四。

Task Three   Let's learn names of some melons:

南瓜
nánguā

冬瓜
dōngguā

西瓜
xīguā

黄瓜
huángguā

中国城 Zhōngguóchéng

书店 shūdiàn	食品公司 shípǐn gōngsī	咖啡馆 kāfēiguǎn
饭店 fàndiàn	服装店 fúzhuāngdiàn	电影院 diànyǐngyuàn
饭馆 fànguǎn	礼品店 lǐpǐndiàn	邮局 yóujú
孔庙 Kǒngmiào	银行 yínháng	

More New Words

一起	yìqǐ	together	要是	yàoshì	if
送给	sòng gěi	to give to... as a gift	一双布鞋	yì shuāng bù xié	one pair of cloth shoes
纽约	Niǔyuē	New York	旧金山	Jiùjīnshān	San Francisco
中式	Zhōngshì	Chinese style	一次	yí cì	once
公司	gōngsī	a company			

Building Blocks

A.

商店	shāngdiàn	shop
鞋店	xiédiàn	_____ shop
花店	huādiàn	_____ shop
小吃店	xiǎochīdiàn	_____ shop
这家店	zhèi jiā diàn	_____ shop
那家店	nèi jiā diàn	_____ shop
哪家店	něi jiā diàn	_____ shop
什么店	shénme diàn	_____ shop

B.

中式	Zhōngshì	_____ style
西式	Xīshì	_____ style
美式	Měishì	_____ style
日式	Rìshì	_____ style
新式	xīnshì	_____ style
老式	lǎoshì	_____ style

Key Structures

1. ... qù ...; ... dào ... qù

Wǒ qù Zhōngguóchéng mǎi dōngxi.
Wǒ dào Zhōngguóchéng qù mǎi dōngxi.

···去··· ；···到···去

I am going to Chinatown to buy things.
I am going to Chinatown to buy things.

2. tèbié

Wǒ tèbié xǐhuān qù fúzhuāngdiàn.
Zhèi jiàn dàyī hěn tèbié.

特别

I especially like to go to fashion stores.
This coat is special.

3. sòng gěi

Wǒ xǐhuān mǎi lǐpǐn sòng gěi péngyou.
Zuótiān tā sòng gěi wǒ liǎng běn shū.

送给

I like buying gifts for my friends.
Yesterday he gave me two books as a gift.

4. ... shì ... de
(emphasizing the underlined words)

Nǐ shì <u>shénme shíhòu</u> qù nàr de?
Nǐ zuótiān shì <u>zěnme</u> qù nàr de?
Nǐ zuótiān shì <u>hé shéi yìqǐ</u> qù nàr de?

Wǒ shì <u>zuótiān</u> qù de.
Wǒ zuótiān shì <u>zǒulù</u> qù de.
Wǒ zuótiān shì <u>hé wǒ māma yìqǐ</u> qù de.

···是···的

<u>When</u> did you go there?
<u>How</u> did you go there yesterday?
<u>With whom</u> did you go there yesterday?

I went there <u>yesterday</u>.
I <u>walked</u> there yesterday.
I went <u>with my mother</u> yesterday.

5. ... shì ... de + noun
(emphasizing the underlined words)

Nǐ shì <u>shénme shíhòu</u> mǎi de (zhèi zhī bǐ)?
Nǐ zuótiān shì <u>zài nǎr</u> mǎi de (zhèi zhī bǐ)?
Nǐ zuótiān shì <u>duōshǎo qián</u> mǎi de (zhèi zhī bǐ)?
Nǐ zuótiān shì <u>hé shéi yìqǐ</u> qù mǎi de (zhèi zhī bǐ)?

Wǒ shì <u>zuótiān</u> mǎi de.
Wǒ shì <u>zài Zhōngguóchéng</u> mǎi de.
Wǒ shì <u>wǔ kuài qián</u> mǎi de.
Wǒ shì <u>hé wǒ māma yìqǐ</u> qù mǎi de.

···是···的···

<u>When</u> did you buy (this pen)?
<u>Where</u> did you buy (this pen) yesterday?
<u>How much</u> did you pay for (this pen) yesterday?
<u>With whom</u> did you go to buy (this pen) yesterday?

I bought it <u>yesterday</u>.
I bought it <u>in Chinatown</u>.
I bought it for <u>five dollars</u>.
I went <u>with my mom</u> to buy it.

6. Yàoshì ..., nà yǒu duō hǎo a!

Yàoshì wǒ néng qù Zhōngguó, nà yǒu duō hǎo a!

Yàoshì xīngqī liù yě shàngkè, nà yǒu duō hǎo a!

要是··· ，那有多好啊 ！

It would be nice if I could go to China!

It would be nice if we also had lessons on Saturday!

-10-

Let's Talk

1. **Do you often go to...?**

   A: Nǐ chángcháng qù   B: Chángcháng qù. Wǒ chángcháng xīngqī tiān qù.
   Zhōngguóchéng ma?   Nǐ qùguò Zhōngguóchéng ma?

   A: Wǒ zhǐ qùguò yí cì.   B: Xià xīngqī tiān wǒ yào qù Zhōngguóchéng.
                                    Nǐ xiǎng bùxiǎng hé wǒ yìqǐ qù?

   A: Tài hǎo le.

   Talk about the following topics: 1. Do you often go to the movies?
                                      2. Do you often go to the restaurant?

   The following words expressing frequency might be helpful to you:

   ... měi tiān dōu... (every day)   ... yǒushíhòu... (sometimes)

   ... hěn shǎo... (seldom)   ... cónglái méiyǒu qùguò (have never been)

2. **Have you ever been to...?**

   A: Nǐ qùguò Zhōngguóchéng ma?   B: Qùguò. Wǒ qùguò yí cì.
   A: Nǐ shì shénme shíhòu qù de?   B: Wǒ shì shàng xīngqī tiān qù de.
   A: Nǐ shì hé shéi yìqǐ qù de?   B: Hé wǒde tóngxué yìqǐ qù de.
   A: Nǐmen wán de hěn gāoxìng ma?   B: Gāoxìng jí le. Yàoshì wǒ néng měi
                                        ge xīngqī tiān qù Zhōngguóchéng,
                                        nà yǒu duō hǎo a!

   Talk about the following topics: 1. Have you ever been to Europe?
                                    2. Have you ever been to Dísīní (Disney World) in Florida?

3. **Questions about the Chinatown:**

Zhōngguóchéng yǒu shénme diàn?	What stores are there in Chinatown?
Lǐpǐndiàn mài shénme?	What does a gift shop sell?
Nǎr yǒu lǐpǐndiàn?	Where is a gift shop?
Zuì jìn de lǐpǐndiàn zài nǎr?	Where is the nearest gift shop?
Zhōngguóchéng de dōngxi piányí ma?	Are the things in Chinatown inexpensive?
Zhōngguóchéng de shénme dōngxi hěn tèbié?	What is special in Chinatown?
Zhōngguóchéng de něi ge fànguǎn zuì hǎo?	Which restaurant in Chinatown is the best?
Nǐ shì zài shénme diàn mǎi de zhèi jiàn hànshān?	Where did you buy this T-shirt?
Nǐ shì duōshǎo qián mǎi de zhèi jiàn hànshān?	How much did you pay for this T-shirt?

   Keeping the above questions in mind, talk with your partner about Chinatown.

1

--- 这双布鞋真好看。
是在哪儿买的？

--- 我是在中国城买的。

--- 中国城我去过好多次了，可是我从来没看到过布鞋。你是在中国城的什么店买的？

--- 礼品店。

--- 礼品店也卖布鞋吗？

--- 卖。中国人觉得布鞋很特别，所以喜欢买布鞋送给朋友。

纽约的中国城没有旧金山的中国城大，可是听说纽约的中国城有八百多家饭馆。那儿还有很多商店，卖很多特别的东西：文房四宝、中文书、中式衣服、中国食品，还卖很多好玩的小礼品。

--- Zhèi shuāng bù xié zhēn hǎokàn.
Shì zài nǎr mǎi de?

--- Wǒ shì zài Zhōngguóchéng mǎi de.

--- Zhōngguóchéng wǒ qùguò hǎo duō cì le, kěshì wǒ cónglái méi kàndàoguò bù xié. Nǐ shì zài Zhōngguóchéng de shénme diàn mǎi de?

--- Lǐpǐndiàn.

--- Lǐpǐndiàn yě mài bù xié ma?

--- Mài. Zhōngguó rén juéde bù xié hěn tèbié, suǒyǐ xǐhuān mǎi bù xié sòng gěi péngyou.

Niǔyuē de Zhōngguóchéng méiyǒu Jiùjīnshān de Zhōngguóchéng dà, kěshì tīngshuō Niǔyuē de Zhōngguóchéng yǒu bābǎi duō jiā fànguǎn. Nàr háiyǒu hěn duō shāngdiàn, mài hěn duō tèbié de dōngxi : wénfáng sì bǎo, Zhōngwén shū, Zhōngshì yīfu, Zhōngguó shípǐn, hái mài hěn duō hǎowán de xiǎo lǐpǐn.

Task One   More Store Category for You to Learn:

玩具店 wánjùdiàn (a toy store)   文具店 wénjùdiàn (a stationery store)

五金店 wǔjīndiàn (a hardware store)

Task Two   Photos of Chinatown:

Look at the following photos of Chinatown. How many stores can you identify?

问路 Wèn Lù

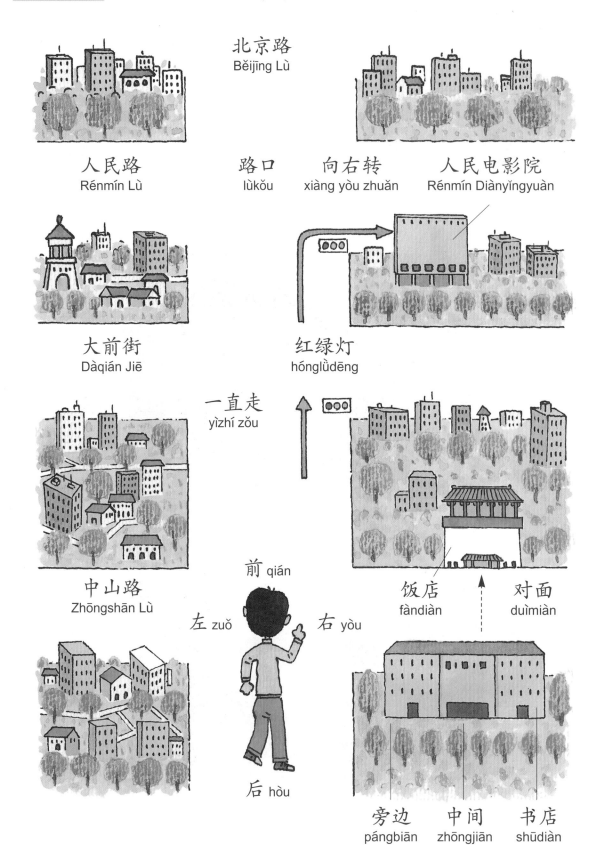

北京路
Běijīng Lù

人民路
Rénmín Lù

路口
lùkǒu

向右转
xiàng yòu zhuǎn

人民电影院
Rénmín Diànyǐngyuàn

大前街
Dàqián Jiē

红绿灯
hónglǜdēng

一直走
yìzhí zǒu

中山路
Zhōngshān Lù

前 qián

左 zuǒ

右 yòu

后 hòu

饭店
fàndiàn

对面
duìmiàn

旁边
pángbiān

中间
zhōngjiān

书店
shūdiàn

More New Words

怎么走	zěnme zǒu	how to get to...
向…转	xiàng...zhuǎn	to turn towards...
工作	gōngzuò	a work; to work
出校门	chū xiàomén	to get out of the school gate

先…，再…	xiān..., zài...	first..., then...
上演	shàngyǎn	(movie) to be on
购物中心	gòuwù zhōngxīn	a shopping center
忘记	wàngjì	to forget

Building Blocks

A.

向右转	xiàng yòu zhuǎn	turn _____
向左转	xiàng zuǒ zhuǎn	turn _____
向前走	xiàng qián zǒu	walk _____
向东走	xiàng dōng zǒu	walk _____
向右看	xiàng yòu kàn	look _____
向下看	xiàng xià kàn	look _____
向北开	xiàng běi kāi	drive _____

B.

怎么走	zěnme zǒu	how to _____
一直走	yìzhí zǒu	walk _____
向前走	xiàng qián zǒu	walk _____
走到路口	zǒu dào lùkǒu	walk _____

C.

在路口	zài lùkǒu	at _____
在第一个路口	zài dì yī ge lùkǒu	at _____

Key Structures

1. **... zěnme + verb ?**

   Dōngfāng Shìchǎng zěnme zǒu?
   Zhèi ge zì zěnme xiě?
   Zhōngwén "movie" zěnme shuō?

   ···怎么···？

   How do you get to the Dongfang Market?
   How do you write this character?
   How do you say "movie" in Chinese?

2. **... de qiánbiān**

   Fànguǎn zài diànyǐngyuàn de qiánbiān.

   Diànyǐngyuàn de qiánbiān yǒu yì jiā fànguǎn.

   ···的前边

   The restaurant is in front of the movie theater.
   In front of the movie theater, there is a restaurant.

3. **... xiān ..., zài ...**

   Xiān qù yínháng, zài qù yóujú.
   Xiān chīfàn, zài zuò gōngkè.
   Xiān xiàng zuǒ zhuǎn, zài yìzhí zǒu.

   ···先···，再···

   First go to the bank, then go to the post office.
   First eat, then do my homework.
   First turn left, then go straight.

4. **... zài ... gōngzuò**

   Wǒ bàba zài Niǔyuē gōngzuò.
   Wǒ gēge zài Zhōngguó Lǐpǐn Gōngsī gōngzuò.
   Nǐ māma zài nǎr gōngzuò?

   ···在···工作

   My father works in New York.
   My elder brother works at the China Gift Company.
   Where does your mother work?

5. **zài**

   Wǒ jiā zài xuéxiào de hòubiān.
   Shūdiàn zài yínháng hé yóujú de zhōngjiān.
   Zài dì èr ge lùkǒu xiàng zuǒ zhuǎn.
   Tā zài gāozhōng jiāoshū.
   Tā zài chīfàn.

   在

   My home is behind the school.
   The bookstore is between the bank and the post office.
   Turn left at the second intersection.
   He teaches at a high school.
   He is eating.

   zài

   Xiān zuò gōngkè zài wán.
   Xiān yìzhí zǒu, zài (再) zài (在) dì sān ge lùkǒu xiàng yòu zhuǎn.

   再

   First do your homework, then have fun.
   First go straight, then turn right at the third intersection.

6. **... jiù ...** (for emphasizing)

   Zhè jiù shì wǒde jiā.
   Yóujú jiù zài nàr.

   ···就···

   This IS my house.
   The post office IS there.

Let's Talk

1. **Where does... work?**

    A: Nǐ bàba zài nǎr gōngzuò?

    A: Nǐ māma yě zài Niǔyuē gōngzuò ma?

    B: Tā zài Niǔyuē gōngzuò.

    B: Bú shì. Tā zài yóujú pángbiān de yínháng gōngzuò.

    Talk with your partner about : 1. Where his/her parents work;
    2. Where his/her siblings study;
    3. Where his/her friends study.

2. **What stores are there in a shopping center?**

    A: Yóujú duìmiàn yǒu yí ge hěn dà de gòuwù zhōngxīn. Nǐ qùguò méiyǒu?

    A: Nàr yǒu shénme diàn?

    B: Qùguò. Nàr yǒu hěn duō diàn.

    B: Nàr yǒu yí ge chāojí shìchǎng. Chāojí shìchǎng de yòubiān yǒu yì jiā diànyǐngyuàn, zuǒbiān yǒu yì jiā shūdiàn.

    A: Bú cuò.

    Talk about what stores a shopping mall has.

3. **How to get there?**

    A: Zhōngguó Diànyǐngyuàn zěnme zǒu?

    A: Xièxie.

    B: Yìzhí zǒu. Zǒu dào lùkǒu, xiàng zuǒ zhuǎn. Diànyǐngyuàn jiù zài jiē de yòubiān.

    Try to find a street map of a city in China or in America.
    Talk with your partner about how to get to certain places by looking at the street map.

4. **What movie is showing?**

    A: Zhōngguó Diànyǐngyuàn zài shàngyǎn shénme diànyǐng?

    A: Tīngshuō hěn hǎokàn. Wǒmen xīngqī tiān qù kàn, hǎo ma?

    B: Mùlán.

    B: Hǎo.

    Talk about what movies are showing at the movie theater nearby.

--- 听说"少林小子"很棒。

--- 在哪儿上演？

--- 中国城的新新电影院。

--- 新新电影院在中国城的什么地方？我忘记了。

--- 在中美食品店的旁边。

--- 对了，小王的哥哥就在中美食品店工作。

--- 我们星期天先去看电影，再去中美食品店买一点儿吃的东西。

--- 好！

--- Tīngshuō "Shàolín Xiǎozi" hěn bàng.

--- Zài nǎr shàngyǎn?

--- Zhōngguóchéng de Xīnxīn Diànyǐngyuàn.

--- Xīnxīn Diànyǐngyuàn zài Zhōngguóchéng de shénme dìfāng? Wǒ wàngjì le.

--- Zài Zhōngměi Shípǐndiàn de pángbiān.

--- Duì le, Xiǎo Wáng de gēge jiù zài Zhōngměi Shípǐndiàn gōngzuò.

--- Wǒmen xīngqī tiān xiān qù kàn diànyǐng, zài qù Zhōngměi Shípǐndiàn mǎi yìdiǎnr chī de dōngxi.

--- Hǎo!

马文：

　　我家离学校不远。你出校门，向左转，一直走，在第一个红绿灯向右转。我家十号，就在路的右边。

　　星期天下午三点见！

　　　　　　　　大新

Mǎ Wén:

　　Wǒ jiā lí xuéxiào bù yuǎn. Nǐ chū xiàomén, xiàng zuǒ zhuǎn, yìzhí zǒu, zài dì yī ge hónglǜdēng xiàng yòu zhuǎn. Wǒ jiā shí hào, jiù zài lù de yòubiān.

　　Xīngqī tiān xiàwǔ sān diǎn jiàn!

　　　　　　　　Dàxīn

Reading Tasks for Pleasure

Task One   **Do you know...?**

我饿死了，你饿不饿？ 我也很饿。 我们去北京饭馆吃饭吧。我请客。 你们要喝什么？ 我喝可乐。他喝茶。	你们想吃什么？ 麻婆豆腐，可是不要太辣。 甜酸虾。 还要一个酸辣汤。 好！ 请用！
1	2

写毛笔字难不难？ 很难，可是很有意思。你想不想学？ 我还不知道。 那你想一想再告诉我。	谁呀？ 是我，小王。 请进！你好，小王，请坐！ 你在做什么，大明？ 我在写毛笔字。
2	1

这本书怎么看？ 向＿＿看。　　这本书怎么看？ 向＿＿看。

Task Two   **What are these?**

New Words in Unit One

Lesson 1

dōng	east
nán	south
xī	west
běi	north
dōngběi	northeast
dōngnán	southeast
xīběi	northwest
xīnán	southwest
dōngbiān	to the east of...
dōngfāng	in the east of...;
	eastern; oriental
shìjiè	world
shìjiè dìtú	world map
zhōu	continent
Yàzhōu	Asia
Měizhōu	America
	(the continent)
Ōuzhōu	Europe
guójiā	country
chéngshì	city
Běijīng	Beijing
Nánjīng	Nanjing
Lúndūn	London
Huáshèngdùn	Washington, D.C.
shǒudū	national capital
dìfāng	place
shénme dìfāng	where
Chángchéng	Great Wall
rénkǒu	population
dì yī	first
... méiyǒu...	not as... as...
lí	away from
cónglái	at all time
cónglái méi... guò	
	have never done...

Lesson 2

Zhōngguóchéng	Chinatown
diàn	store; shop
shāngdiàn	store; shop
guǎn	place for a store, guests
	or cultural activities
fàndiàn	restaurant; hotel
fànguǎn	restaurant
fúzhuāng	clothing
fúzhuāngdiàn	clothing store
lǐpǐn	gift
lǐpǐndiàn	gift store
kāfēi	coffee
kāfēiguǎn	cafe
shípǐn	food
gōngsī	company
shípǐn gōngsī	grocery store
diànyǐngyuàn	cinema
yóujú	post office
yínháng	bank
Kǒngmiào	Confucius Temple
xiǎochīdiàn	snack restaurant
yìqǐ	together
yí cì	once
bù	cloth
bù xié	cloth shoes
shuāng	M.W. for shoes
Niǔyuē	New York
Jiùjīnshān	San Francisco
sòng gěi	give to... (as a gift)
yàoshì	if
Zhōngshì	Chinese style
Xīshì	Western style

Lesson 3

lù	road
jiē	street
rénmín	people
Běijīng Lù	Beijing Road
Dàqián Jiē	Daqian Street
lùkǒu	crossing;
	intersection
hónglùdēng	traffic light
wèn lù	ask the way
qián	front
hòu	back
zuǒ	left
yòu	right
qiánbiān	in the front
pángbiān	beside; next to...
zhōngjiān	middle
duìmiàn	opposite
xiàng	to; toward
zhuǎn	turn
xiàng yòu zhuǎn	make a right turn
zǒu	walk
yìzhí zǒu	go straight
zěnme zǒu	how to get to...
zǒu dào	walk to...
kāi	drive
xiān..., zài...	first..., then...
chū	go or come out
mén	gate; door
shàngyǎn	(movie) be on
zhōngxīn	center
gòuwù zhōngxīn	shopping center
wàngjì	forget
gōngzuò	work

Unit 2

中国住房 Zhōngguó Zhùfáng

Cultural Information

Housing

In Chinese cities, as in cities across the world, housing is a problem. Most people live in apartment buildings. In Shanghai, for example, apartment complexes are built in rows along lanes. These apartments are usually very small with combined living and dining rooms. In Beijing, many people live in walled houses along alleys known as hutongs. The crowded living conditions foster a strong sense of community. In the countryside, most people live in more spacious houses, which are inherited by the children.

Siheyuan

Siheyuans (quadrangles) are traditional courtyard houses that are common in Beijing. A siheyuan is a compound with rooms built in the four directions, which enclose a square inner courtyard at the center. Many members of a large family may live within the walls, each branch occupying one of the rooms. Since family members live together in the siheyuan, a special, close relationship results. The outside gate can be closed for privacy, and the inner doors opened to allow interaction between family members.

Visiting Friends

The way Chinese visiting friends is very informal. People often stop by their friends' houses without calling ahead. Guests are treated well by the hosts. As soon as they arrive, they are offered tea and sweets by the hosts. In the countryside, some hosts even serve the poached egg soup to welcome guests. When guests leave, hosts insist on escorting them at least a certain distance away from the door. It is considered very rude to stay at the door when saying goodbye to a guest.

我住在城里 Wǒ Zhù Zài Chéng Lǐ

在山上 zài shān shàng   田   tián

在山下 zài shān xià   在乡下 zài xiāngxià

山   shān

很漂亮
hěn piàoliàng

很安静
hěn ānjìng

在城里
zài chéng lǐ

很闹
hěn nào

在城外
zài chéng wài

More New Words

住	zhù	to live; to reside	已经	yǐjīng	already
一定	yídìng	definitely	方便	fāngbiàn	convenient
而且	érqiě	in addition	一封信	yì fēng xìn	one letter
地址	dìzhǐ	an address	上班	shàngbān	to go to work

Building Blocks

A.

送给他…	sòng gěi tā...	_____ him...
卖给他…	mài gěi tā...	_____ him...
写信给他	xiě xìn gěi tā	_____ him
打电话给他	dǎdiànhuà gěi tā	_____ him

B.

在火车上	zài huǒchē shàng	_____ the train
在山上	zài shān shàng	_____ the mountain
在山下	zài shān xià	_____ the mountain
在乡下	zài xiāngxià	_____ the countryside
在城里	zài chéng lǐ	_____ the city
在店里	zài diàn lǐ	_____ the store
在家里	zài jiā lǐ	_____ home
在国外	zài guó wài	_____ the country
在城外	zài chéng wài	_____ the city
在门外	zài mén wài	_____ the door

Key Structures

1. **... zhù zài ...**

   Nǐ zhù zài nǎr? Wǒ zhù zài chéng lǐ.

   ⋯住在⋯

   Where do you live? I live in the city.

2. **... zài ... (yǐjīng) zhù le ... le.**

   Nǐ zài zhèr   zhù le duō jiǔ   le?
   Nǐ zài zhèr   zhù le jǐ nián   le?
   Wǒ zài zhèr (yǐjīng) zhù le shí nián le.

   ⋯在⋯（已经）住了⋯了。

   How long have you been living here?
   How many years have you been living here?
   I have (already) been living here for ten years.

3. **... zài + somewhere + do something**

   Tā tiāntiān zài jiā chī wǔfàn.

   ⋯在 + somewhere + do something

   He has lunch at home every day.

4. **bù + verb; méi(yǒu) + verb**

   Wǒ bù chī zǎofàn.
   Tā tiāntiān dōu chī zǎofàn, kěshì jīntiān méi chī.

   不 + verb ；没（有）+ verb

   I do not eat breakfast.
   He eats breakfast every day, but not today.

5. **méi(yǒu) + verb;**
   hái méi(yǒu) + verb

   Wǒ zuótiān méi chī zǎofàn.
   Wǒ hái méiyǒu zuò gōngkè. Wǒ xiàwǔ huì zuò.

   没（有）+ verb ；
   还没（有）+ verb

   I did not eat breakfast yesterday.
   I have not done my homework. I will do it in the afternoon.

6. **cónglái bù + verb;**
   cónglái méi(yǒu) + verb + guò

   Wǒ cónglái bù chī zǎofàn.
   Wǒ cónglái méiyǒu chīguò Zhōngshì zǎofàn.

   从来不 + verb ；
   从来没（有）+ verb + 过

   I never eat breakfast.
   I have never had a Chinese-style breakfast.

7. **... huì ...**

   Wǒ míngtiān huì dǎdiànhuà gěi tā.

   ⋯会⋯

   I will call him tomorrow.

8. **..., érqiě ...**

   Nǐ wèishénme xǐhuān zhù zài chéng lǐ?
   Yīnwèi chéng lǐ yǒu hěn duō shāngdiàn, érqiě chéng lǐ de fànguǎn yě tèbié hǎo.

   ⋯，而且⋯

   Why do you like living in the city?
   Because in the city there are many stores.
   In addition, the restaurants in the city are especially good.

9. **dìzhǐ (1)**

   Wǒ jiā de dìzhǐ shì: Zhōngguó Shànghǎi Běijīng Xī Lù yìbǎi èrshí hào.

   地址(1)

   My home address is: 120 Beijing West Road, Shanghai, China. (more in Lesson 6)

Let's Talk

1. Where do you live?

A: Nǐ zhù zài nǎr?

A: Wǒ yě zhù zài Běijīng Lù.

B: Wǒ zhù zài Běijīng Lù. Nǐ ne?

B: Ò, nǐ jiā lí wǒ jiā bù yuǎn.

Ask your partner where he/she lives and find out if he/she lives close to you.

2. An interview — Do you like where you live?

A: Nǐ zhù zài nǎr?

A: Nǐ zài chéng lǐ zhù le duōjiǔ le?

A: Nǐ juéde zhù zài chéng lǐ zěnmeyàng?

A: Nǐ wèishénme xǐhuān zhù zài chéng lǐ?

B: Wǒ zhù zài chéng lǐ.

B: Yǐjīng shíduō nián le.

B: Hěn búcuò. Wǒ hěn xǐhuān zhù zài chéng lǐ.

B: Zài chéng lǐ, mǎi dōngxi hěn fāngbiàn, érqiě wǒ zài chéng lǐ gōngzuò. Shàngbān hěn fāngbiàn.

Interview your classmate to find out where he/she lives, how long he/she has been living there, whether he/she likes to live there, and why he/she likes or does not like living there.

3. Telephone or letter?

A: Nǐ xǐhuān dǎdiànhuà háishì xiě xìn gěi nǐde péngyou?

A: Nǐ chángcháng dǎdiànhuà ma?

A: Nǐ chángcháng dǎdiànhuà gěi shéi?

A: Nǐ dǎguò diànhuà gěi Lí Wén ma?

B: Wǒ xǐhuān dǎdiànhuà gěi wǒde péngyou.

B: Wǒ měi tiān dōu dǎ.

B: Gěi Xiǎo Wáng. Tā shì wǒ zuì hǎo de péngyou.

B: Wǒ cónglái méi dǎguò. Tā bú shì wǒde péngyou, érqiě, wǒ yě bù zhīdào tāde diànhuà hàomǎ.

Talk with your partner to find out whether he/she prefers to write letters or to make phone calls, whom he/she calls or writes to, and whom he/she never calls or writes to.

4. How do you go to school every morning?

A: Nǐ zài nǎr niànshū?

A: Dì Wǔ Gāozhōng lí nǐ jiā yuǎn bùyuǎn?

A: Nǐ zǎoshàng zěnme qù xuéxiào?

B: Wǒ zài Dì Wǔ Gāozhōng niànshū.

B: Bù yuǎn.

B: Wǒ tiāntiān zuò xiàochē qù. Hěn fāngbiàn.

Talk with your partner about: 1. How he/she goes to school;
2. How his/her parents go to work;
3. How his/her siblings go to school.

Readings

--- 我想写信给王小英。你有没有她的地址？

--- 没有。我常常打电话给她，可是从来不写信。你要不要她的电话号码？

--- 我从来没有打过电话给她。你说行不行？

--- 行。她一定会很高兴。

--- 好吧，我打电话给她。

--- Wǒ xiǎng xiě xìn gěi Wáng Xiǎoyīng. Nǐ yǒu méiyǒu tāde dìzhǐ?

--- Méiyǒu. Wǒ chángcháng dǎdiànhuà gěi tā, kěshì cónglái bù xiě xìn.
Nǐ yào búyào tāde diànhuà hàomǎ?

--- Wǒ cónglái méiyǒu dǎguò diànhuà gěi tā.
Nǐ shuō xíng bùxíng?

--- Xíng. Tā yídìng huì hěn gāoxìng.

--- Hǎo ba, wǒ dǎdiànhuà gěi tā.

张先生在纽约工作，可是他不喜欢住在城里。他觉得城里太闹了，所以他住在乡下。他在乡下已经住了十多年了。他天天坐火车去上班，坐火车回家。他说，"坐火车很方便，而且在火车上可以看书、睡觉。"

Zhāng xiānsheng zài Niǔyuē gōngzuò, kěshì tā bù xǐhuān zhù zài chéng lǐ. Tā juéde chéng lǐ tài nào le, suǒyǐ tā zhù zài xiāngxià. Tā zài xiāngxià yǐjīng zhù le shíduō nián le. Tā tiāntiān zuò huǒchē qù shàngbān, zuò huǒchē huíjiā. Tā shuō, "Zuò huǒchē hěn fāngbiàn, érqiě zài huǒchēshàng kěyǐ kànshū, shuìjiào."

Reading Tasks for Pleasure

Task One   **Do you know...?**

世界上最高的山在什么地方？叫什么名字？

阿里山在哪儿？(阿里山 Ālǐshān – A Li Mountain)

你看过日出没有？(日出 rìchū – sunrise)

你想不想去阿里山看日出？

Task Two   **Where is Yellow Mountain?**

中国最美的山是黄山。(黄山 Huángshān – Yellow Mountain)

黄山的松树特别美。(松树 sōngshù – pine tree)

你知不知道黄山在哪儿？

我的家 Wǒde Jiā

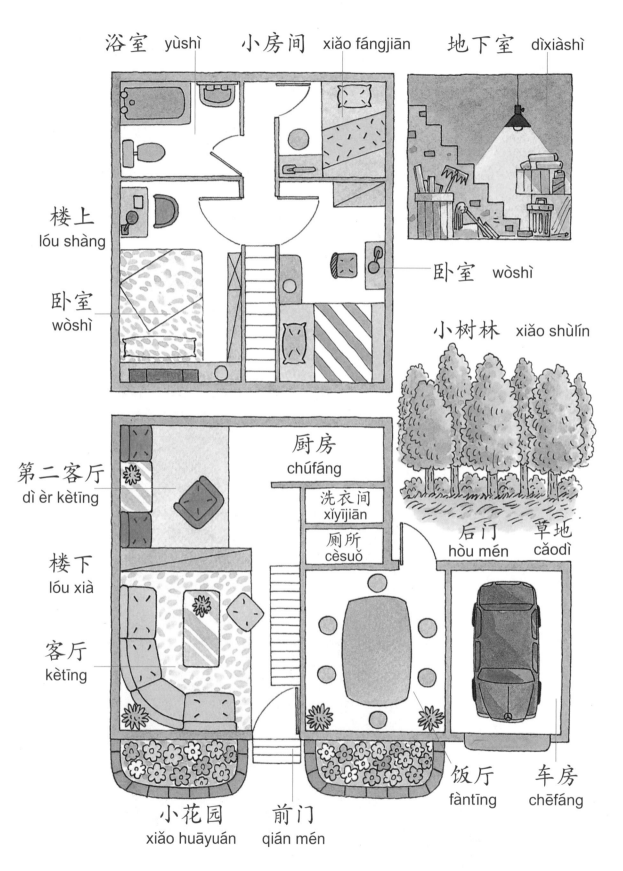

浴室 yùshì　　小房间 xiǎo fángjiān　　地下室 dìxiàshì

楼上 lóu shàng

卧室 wòshì

卧室 wòshì

小树林 xiǎo shùlín

第二客厅 dì èr kètīng

楼下 lóu xià

客厅 kètīng

厨房 chúfáng

洗衣间 xǐyījiān

厕所 cèsuǒ

后门 hòu mén　　草地 cǎodì

饭厅 fàntīng　　车房 chēfáng

小花园 xiǎo huāyuán　　前门 qián mén

More New Words

栋	dòng	measure word for houses	一张桌子	yì zhāng zhuōzi	one table/desk
亮	liàng	bright	一把椅子	yì bǎ yǐzi	one chair
乱	luàn	messy	一张床	yì zhāng chuáng	one bed
更	gèng	even more	房子	fángzi	a house
洗	xǐ	to wash	洗澡	xǐzǎo	to take a bath/shower
手	shǒu	a hand			

| 虽然…，可是… | suīrán…, kěshì… | although…, (but)… |
| 不但…，而且… | búdàn…, érqiě… | not only…, but also… |

Building Blocks

A.

| 卧室 | wòshì | _____ room |
| 地下室 | dìxiàshì | _____ |

B.

房子	fángzi	house
房间	fángjiān	room
厨房	chúfáng	_____
书房	shūfáng	_____
车房	chēfáng	_____

C.

房间	fángjiān	room
洗澡间	xǐzǎojiān	_____ room
洗手间	xǐshǒujiān	_____ room

Key Structures

1. measure words: 栋，个，把，张
   dòng, ge, bǎ, zhāng

yí dòng fángzi	a house
yí ge fángjiān, yí ge wòshì, yí ge cèsuǒ	a room, a bedroom, a half bathroom
yì bǎ yǐzi, yì bǎ dāozi, yì bǎ chāzi	a chair, a knife, a fork
yì zhāng chuáng, yì zhāng zhuōzi, yì zhāng zhǐ	a bed, a table, a sheet of paper

2. different choices of words for describing rooms

wòshì, wòfáng	bedroom
chēfáng, chēkù	garage
yùshì, xǐzǎojiān, wèishēngjiān	full bathroom
cèsuǒ, xǐshǒujiān	half bathroom
sān shì yì tīng, sān fáng yì tīng	three bedrooms and a living room

3. gèng   更

Wǒ xǐhuān lǎo fángzi, kěshì wǒ gèng xǐhuān xīn fángzi.	I like old houses, but I like new houses even better.
Wǒde fángjiān hěn dà, kěshì tāde fángjiān bǐ wǒde gèng dà.	My room is big, but his room is even bigger than mine.

4. sentences for describing rooms

Zhèi ge fángjiān hǎo dà a!	This room is very big!
Zhèi ge fángjiān yòu dà yòu hǎokàn!	This room is big and looks good!
Zhèi ge fángjiān yǒu yìdiǎnr xiǎo.	This room is a little too small.
Zhèi ge fángjiān tèbié gāo.	This room is especially high.
Zhèi ge fángjiān bǐ nèi ge fángjiān hǎokàn.	This room is prettier than that room.
Zhèi ge fángjiān méiyǒu nèi ge fángjiān hǎokàn.	This room is not as pretty as that room.
Zhèi ge fángjiān hěn dà, kěshì nèi ge gèng dà.	This room is big, but that room is even bigger.

5. ... búdàn ..., érqiě ...   …不但…，而且…

Zhèi dòng fángzi búdàn dà, érqiě hǎokàn.	This house is not only big, but also pretty.

6. Suīrán ..., kěshì ...   虽然…，可是…

Suīrán kètīng hěn dà, kěshì fàntīng tài xiǎo le.	Although the living room is big, the dining room is too small.
Kètīng suīrán hěn dà, kěshì fàntīng tài xiǎo le.	

Let's Talk

1. **Which house is bigger?**

   A: Zhèi dòng fángzi yǒu jǐ ge fángjiān?

   A: Yǒu jǐ ge yùshì?

   A: Sān ge wòshì, yí ge kètīng, yí ge yùshì hé yí ge cèsuǒ.

   B: Liǎng fáng yì tīng. Liǎng ge wòfáng, yí ge kètīng.

   B: Yí ge. Méiyǒu cèsuǒ. Nèi dòng fángzi yǒu jǐ ge fángjiān?

   B: O, nèi dòng fángzi bǐ zhèi dòng dà de duō.

   Draw a simple floor map of a house. Talk with your partner about the size of each other's house. The following expressions will help you compare house sizes:

dà yìdiǎnr	dà de duō	gèng dà
tèbié dà	bú gòu dà	

2. **A guessing game: Which room is yours?**

   A: Nǐde fángjiān zài lóu shàng háishì lóu xià?

   A: Nǐde fángjiān de zuǒbiān yǒu wòfáng ma?

   A: Nǐde fángjiān de yòubiān shì yùshì ma?

   A: Zhèi ge fángjiān shì búshì nǐde wòshì?

   B: Zài lóu shàng.

   B: Yǒu.

   B: Bú shì.

   B: Shì.

   Look at a floor plan and secretly decide which room is your bedroom. Have your partner asked you the same questions as "A" asks in the above dialogue. Based on your answers, your partner must decide which room is yours.

3. **Interview — Your Bedroom**

   A: Nǐde fángjiān lǐ yǒu shénme?

   A: Nǐde fángjiān dà búdà?

   A: Nǐde fángjiān luàn búluàn?

   A: Nǐ juéde nǐde fángjiān zěnmeyàng?

   A: Nǐ jiā de fángjiān nǐ zuì xǐhuān něi ge?

   B: Yǒu yì zhāng chuáng, yì zhāng zhuōzi hé yì bǎ yǐzi, háiyǒu hěn duō hǎowán de dōngxi.

   B: Búdàn dà, érqiě hěn liàng.

   B: Wǒde fángjiān yǒu yìdiǎnr luàn.

   B: Wǒ juéde wǒde fángjiān hěn shūfu.

   B: Wǒde fángjiān.

   Interview your partner about his/her room.
   Try to use the sentences in Key Structure #4, #5, and #6.
   The following words might be useful for your interview:

dà (big)	liàng (bright)	gānjìng (clean)
luàn (messy)	jǐ (crowded)	shūfu (cozy)
zhěngqí (tidy)	piàoliàng (pretty)	

Readings

(A real estate person is showing Mrs. Wang a house.)

--- 这栋房子很漂亮。
前边是花园，后边有
大树。

--- Zhèi dòng fángzi hěn piàoliàng.
Qiánbiān shì huāyuán, hòubiān yǒu
dà shù.

--- 楼上有几个卧室？

--- Lóu shàng yǒu jǐ ge wòshì?

--- 四个，都很大。你看，
客厅更大，而且很亮。

--- Sì ge, dōu hěn dà. Nǐ kàn,
kètīng gèng dà, érqiě hěn liàng.

--- 很好。

--- Hěn hǎo.

--- 对面是一个高中。
孩子上学很方便。

--- Duìmiàn shì yí ge gāozhōng.
Háizi shàngxué hěn fāngbiàn.

--- 这栋房子要多少钱？

--- Zhèi dòng fángzi yào duōshao qián?

--- 三万三千块。

--- Sānwàn sānqiān kuài.

--- 房子虽然不错，可是太
贵了！

--- Fángzi suīrán búcuò, kěshì tài
guì le!

我的房间里有一张床，
可是没有桌子和椅子，
因为我喜欢坐在地上看书
和写字。我房间的地上不
但有很多书，而且还有很
多好玩的东西。虽然我的
房间有一点儿乱，可是是
我最喜欢的地方。

Wǒde fángjiān lǐ yǒu yì zhāng chuáng,
kěshì méiyǒu zhuōzi hé yǐzi, yīnwèi wǒ
xǐhuān zuò zài dìshàng kànshū hé xiězì.
Wǒ fángjiān de dìshàng búdàn yǒu hěn
duō shū, érqiě hái yǒu hěn duō hǎowán
de dōngxi. Suīrán wǒde fángjiān yǒu
yìdiǎnr luàn, kěshì shì wǒ zuì xǐhuān de
dìfāng.

Reading Tasks for Pleasure

Task One   Do you know?

这是四合院(sìhéyuàn)，是北京的老房子。四合院的四面都是房间，中间是一个小院子。院子里不但有花，有树，而且还有桌子、椅子。晚上一家人可以坐在院子里吃晚饭。四合院虽然是老房子，可是比新房子更方便，也更舒服。

Zhè shì sìhéyuàn, shì Běijīng de lǎo fángzi. Sìhéyuàn de sì miàn dōushì fángjiān, zhōngjiān shì yí ge xiǎo yuànzi. Yuànzi lǐ búdàn yǒu huā, yǒu shù, érqiě hái yǒu zhuōzi, yǐzi. Wǎnshàng yìjiārén kěyǐ zuò zài yuànzi lǐ chī wǎnfàn. Sìhéyuàn suīrán shì lǎo fángzi, kěshì bǐ xīn fángzi gèng fāngbiàn, yě gèng shūfu.

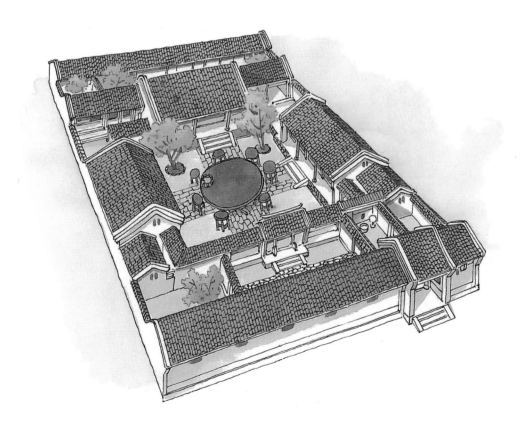

去朋友的家 Qù Péngyou De Jiā

2

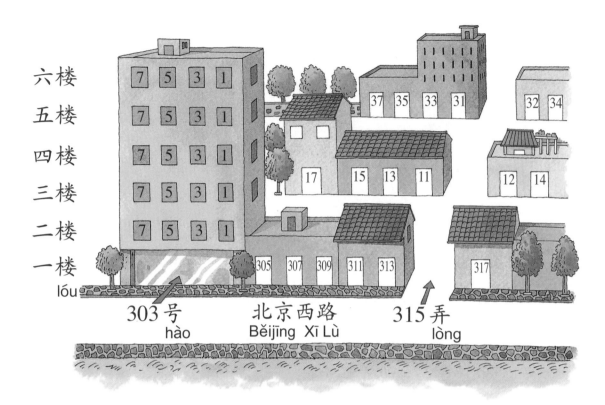

六楼
五楼
四楼
三楼
二楼
一楼
lóu

303 号
hào

北京西路
Běijīng Xī Lù

315 弄
lòng

请进。
Qǐng jìn.

请坐。 Qǐng zuò.

请喝茶。 Qǐng hē chá.

请吃糖。 Qǐng chī táng.

请多吃一点儿。
Qǐng duō chī yìdiǎnr.

我送送你。
Wǒ sòngsong nǐ.

More New Words

告诉	gàosu	to tell	热情	rèqíng	warm (personality); hospitable
马上	mǎshàng	immediately	一包茶	yì bāo chá	a bag of tea
等	děng	to wait	一会儿	yìhuǐr	a short while
或者	huòzhě	or (for statements)	冰水	bīng shuǐ	ice water

2

Building Blocks

A.

一楼	yì lóu	_____
二楼	èr lóu	_____
楼上	lóu shàng	_____
楼下	lóu xià	_____

B.

坐下	zuòxià	sit _____
坐火车	zuò huǒchē	ride _____
坐在这儿	zuò zài zhèr	sit _____
坐在地上	zuò zài dì shàng	sit _____
坐在椅子上	zuò zài yǐzi shàng	sit _____
坐在床上	zuò zài chuáng shàng	sit _____
坐在大树下	zuò zài dà shù xià	sit _____

Key Structures

1. **dìzhǐ** (2)

   Nánjīng Zhōng Lù 303 hào 5 lóu 1 shì
   (for apartment buildings)
   Nánjīng Zhōng Lù 315 lòng 13 hào
   (for apartments built in rows like town houses in America)

   地址(2)

   303 Nanjing Zhong Rd., Floor 5, Apt. 1

   Lane 315, Apt. 13, Nanjing Zhong Rd.

2. **... sòng ...**
   Zuótiān tā sòng wǒ huíjiā.
   ... sòng gěi ...
   Zuótiān tā sòng gěi wǒ yì běn shū.
   ... gěi ...
   Qǐng gěi wǒ yì zhāng zhǐ.

   ···送···
   Yesterday he took me home.
   ···送给···
   Yesterday he gave me a book as a gift.
   ···给···
   Please give me a sheet of paper.

3. **... háishì ...? ... huòzhě ...**
   Nǐ yào zhèi zhī bǐ háishì nèi zhī bǐ?
   Zhèi zhī bǐ huòzhě nèi zhī bǐ dōu xíng.

   ···还是··· ? ···或者···
   Do you want this pen or that pen?
   Either this pen or that pen is OK.

4. **kàn; kànjiàn**
   Nǐ kàn, nèi ge rén zài liàn gōngfu.
   Nǐ shì shénme shíhòu kànjiàn tā de?

   看；看见
   Look, that person is practicing martial arts.
   When did you see him?

5. **zǒu**
   Wǒ měi tiān zǒudào xuéxiào qù.
   Tā yǐjīng zǒu le.

   走
   I walk to school every day.
   He has left.

6. **... mǎshàng ...**
   Wǒ mǎshàng huì qù.
   Wǒ mǎshàng jiù qù.

   ···马上···
   I will go immediately.

7. **... yī ... jiù ...**
   Wǒ měi tiān yì huíjiā jiù shuìjiào.
   Wǒ jīntiān yì huíjiā jiù huì shuìjiào.
   Wǒ zuótiān yì huíjiā jiù shuìjiào le.

   ···一···就···
   Every day as soon as I get home, I sleep.
   Today as soon as I get home, I will sleep.
   Yesterday as soon as I got home, I slept.

8. **... bù zhīdào ...; ... méi gàosu wǒ ...**
   Wǒ bù zhīdào tā shénme shíhòu huílái.
   Tā méi gàosu wǒ tā qù nǎr le.

   ···不知道··· ; ···没告诉我···
   I do not know when he will come back.
   He did not tell me where he went.

Let's Talk

1. **Is John there?**

   A: John zài ma?
   B: Bú zài.
   A: Nǐ zhīdào bù zhīdào tā qù nǎr le?
   B: Bù zhīdào. Tā méi gàosu wǒ tā qù nǎr le.

   Create conversations based on the following situations:
   1. A calls B. B's mother answers the phone and says that B is not at home. B did not tell his mother when he will be back.
   2. Dad asks Mom where their son is and what time he will return home, but Mom does not know because the son did not tell her.

2. **What do you want to drink?**

   A: Shéi a?
   B: Shì wǒ.
   A: Nǐ hǎo, Xiǎo Wáng.
   B: Nǐ hǎo, John.
   A: Qǐng jìn. Nǐ yào búyào hē diǎnr shénme?
   B: Hǎo.
   A: Bīng shuǐ háishì qìshuǐ?
   B: Bīng shuǐ huòzhě qìshuǐ dōu xíng.

   Imagine: 1. Your friend is visiting you and you want to offer him/her something to drink;
   2. You are serving drinks to people at a party.

3. **Taking Leave**

   A: Wáng lǎoshī, wǒ děi zǒu le.
   B: Wǒ sòngsong nǐ.
   A: Bú sòng, bú sòng.
   A: Xiǎo Wáng, mǎshàng yào shàngkè le. Wǒ děi zǒu le.
   B: Hǎo, yìhuǐr jiàn.

   The above dialogues show ways of leaving in different situations.
   Now imagine: 1. You are a guest saying goodbye to your Chinese host;
   2. You are at your friend's house. You realize that it is already 10 o'clock. You say goodbye to your friend.

4. **As soon as I see..., ...**

   A: Nǐ juéde nèi ge xīn xuésheng zěnmeyàng?
   B: Hěn rèqíng. Tā yí kànjiàn wǒ jiù shuō, "Nǐ hǎo, wǒ jiào Bill. Wǒ shì nǐde xīn péngyou."

   Create short conversations based on the following situations:
   1. A asks B what B thinks about the new Chinese teacher. B says the new Chinese teacher is very warm and that he liked the teacher as soon as he met her.
   2. A asks B what B thinks about Chinese food. B says that he loves it. As soon as he sees Chinese food, he feels hungry.

Readings

--- 喂，小王在家吗？

--- 我哥哥不在家。

--- 他什么时候会回来？

--- 我不知道。他没告诉我
他什么时候会回来。

--- 我叫马大明。请告诉你
哥哥明天上午或者下午
打电话给我。

--- 好！

--- Wéi, Xiǎo Wáng zài jiā ma?

--- Wǒ gēge bú zài jiā.

--- Tā shénme shíhòu huì huí lái?

--- Wǒ bù zhīdào. Tā méi gàosu wǒ
tā shénme shíhòu huì huí lái.

--- Wǒ jiào Mǎ Dàmíng. Qǐng gàosu
nǐ gēge míngtiān shàngwǔ huòzhě
xiàwǔ dǎdiànhuà gěi wǒ.

--- Hǎo!

上星期天我去小王家
玩。小王的妈妈一看见我
就请我喝茶，又给我糖
吃。我从来不喜欢喝茶，
可是那天我觉得茶很好
喝。我一说茶好喝，她就
送给我一大包中国茶。中
午我在小王家吃饭。我一
坐下，她就给我很多菜。
她说，"吃啊，吃啊！没
菜！"中国妈妈太热情了！

Shàng xīngqī tiān wǒ qù Xiǎo Wáng
jiā wán. Xiǎo Wáng de māma yí kànjiàn
wǒ jiù qǐng wǒ hē chá, yòu gěi wǒ táng
chī. Wǒ cónglái bù xǐhuān hē chá, kěshì
nèi tiān wǒ juéde chá hěn hǎohē. Wǒ yì
shuō chá hǎohē, tā jiù sòng gěi wǒ yí dà
bāo Zhōngguó chá. Zhōngwǔ wǒ zài Xiǎo
Wáng jiā chīfàn. Wǒ yí zuòxià, tā jiù gěi
wǒ hěn duō cài. Tā shuō, "Chī a, chī a!
Méi cài!" Zhōngguó māma tài rèqíng le!

Reading Tasks for Pleasure

Task One **Have you told your mother?**

In China, high school students often keep their dates secret from their mothers because parents usually do not like their children dating in high school. The following cartoon will show you how the Chinese language can allow Chinese teenagers to be vague about dating.

2

A：你妈妈知道不知道你有女朋友？

B：不知道，可是我告诉她了。

A：什么？你告诉你妈妈了，可是
她不知道？

B：对！
我说，"妈妈，我有一个新朋友。
Tā 叫小张。"
我妈妈说，"Tā 是不是好学生？"
我说，"Tā 是。"

A：啊，我懂了！

Task Two **These are ads for selling houses. Can you figure out what kinds of houses are for sale（出售 — chūshòu）?**

房屋出售
新州中部 Flemington
4房3厅车库地下室，
6年新廉售14万9千。
电(732)-764-3186

漂亮房间出租
近 Edison 火车站，N.Y.
上班方便，浴厨，包
水电，月租 $500。
请电(732)-764-3186
或(908)-874-1739

房屋自售
新州北部 New Milford
4卧2厅2.5浴2库，
好学区，售30万9千。
请电(201)-836-3461

New Words in Unit Two

2

Lesson 4

shàng	top
xià	down
lǐ	inside
wài	outside
tián	field
chéng	city
chéng lǐ	in the city
chéng wài	out of the city
xiāngxià	in the countryside
shān shàng	on the mountain
shān xià	at the foot of a mountain
jiālǐ	at home
diànlǐ	at store
guó wài	abroad
mén wài	outside the door
zhù	live; reside
dìzhǐ	address
nào	noisy
ānjìng	quiet
piàoliàng	pretty; beautiful
fāngbiàn	convenient
shàngbān	go to work
xìn	letter
fēng	M.W. for letters
xiě xìn gěi	write a letter to...
mài gěi	sell to...
yídìng	definitely
érqiě	in addition
yǐjīng	already
cónglái bù...	never...

Lesson 5

fáng	room; house
fángjiān	room
fángzi	house
lóu	building; floor
lóu shàng	upstairs
lóu xià	downstairs
shì	room; apartment
wòshì	bedroom
yùshì	bathroom
dìxiàshì	basement
tīng	main room of a house
kètīng	living room
fàntīng	dining room
chúfáng	kitchen
chēfáng	garage
xǐ	wash
yī	clothing
xǐyījiān	laundry room
shǒu	hand
xǐshǒujiān	toilet; powder room
cèsuǒ	toilet; rest room
cǎo	grass
cǎodì	lawn
huāyuán	garden
shùlín	woods
zhuōzi	table
yǐzi	chair
chuáng	bed
ge	M.W. for rooms
zhāng	M.W. for tables or beds
bǎ	M.W. for chairs
dòng	M.W. for houses
liàng	bright
luàn	messy
gèng	even more
suīrán..., kěshì...	although..., (but)...
búdàn..., érqiě...	not only..., but also...

Lesson 6

fǎngyǒu	visit friends
hào	street number
lòng	lane; alley
èr lóu	the 2nd floor
jǐ lóu	which floor
jìn	enter
zuò	sit
zuòxià	sit down
zuò zài... shàng	sit on...
táng	candy
duō chī yìdiǎnr	eat more
huòzhě	or (for statements)
gàosu	tell
kàn	look; watch; read
kànjiàn	see
dǎdiànhuà gěi...	call someone
sòng	see... off; take someone to...
bú sòng	stay here please
bīng shuǐ	ice water
bēi	cup, M.W. for water or tea
bāo	M.W. for bags of tea
děng	wait
yìhuǐr	a short while
mǎshàng	immediately
rèqíng	warm (personality); hospitable
yī... jiù...	as soon as

Unit 3

中国的天气 Zhōngguó De Tiānqì

Cultural Information

Climate

Since China is such a large country, it has a variety of climates. The far northern areas have harsh Siberian winters, while many southern areas have tropical weather all the year-round. In the northern desert, a single day may see both freezing and very high temperatures. Springtime sandstorms drive sand into every crack and cranny. Near the coast, there are four distinct seasons, with winters rarely colder than 32 degrees F. In China, the Celsius scale is used for telling the temperature.

Four Seasons

In ancient Chinese poetry, the beauty of the scenery in the four seasons is often described. Spring is characterized by beautiful flowers, and summer by the sound of the mountain streams. The full moon symbolizes fall, and the white snow for winter. Also, four special flowers are associated with the seasons: peach blossom with spring, lotus flower with summer, chrysanthemum with fall and plum blossom with winter. These flowers frequently appear in Chinese poetry.

Yangtze River

In China the Yangtze River is called Changjiang, which means "long river." It is the third longest river in the world, extending nearly 3,828 miles. This long river provides a passageway for commerce, and transportation. Many of China's major cities are situated along the river, including Shanghai. The Yangtze Delta is also one of the most fertile areas in China. The Yangtze also geographically divides China into north and south.

天气 Tiānqì

云　yún
少云　shǎoyún
很热　hěn rè

多云　duōyún
阴天　yīntiān

太阳 tàiyáng　　晴天 qíngtiān
最高温度100°F zuì gāo wēndù yìbǎi dù

雨　yǔ
下雨　xiàyǔ
很凉快　hěn liángkuài

雷　léi
打雷　dǎléi

风　fēng
刮风　guāfēng

雪　xuě
下雪　xiàxuě
最低温度14°F
zuì dī wēndù shísì dù

非常冷　冷死了　冷得不得了
fēicháng lěng　lěng sǐ le　lěng de bùdéliǎo

很暖和
hěn nuǎnhuo

More New Words

别	bié	don't (imperative)	开玩笑	kāiwánxiào	to joke
笑	xiào	to laugh	差不多	chàbuduō	nearly the same
班	bān	a class	一样	yíyàng	the same
怕	pà	to fear	出去	chū qù	to go out
非常	fēicháng	very			

Building Blocks

A.

今天	jīntiān	_____
明天	míngtiān	_____
昨天	zuótiān	_____
热天	rètiān	_____ day
冷天	lěngtiān	_____ day
晴天	qíngtiān	_____ day
阴天	yīntiān	_____ day
下雨天	xiàyǔtiān	_____ day
白天	báitiān	day time

B.

热天	rètiān	hot _____
热水	rè shuǐ	hot _____
热饭	rè fàn	hot _____
热茶	rè chá	hot _____
热情	rèqíng	_____

Key Structures

1. **Bié ...**

   Bié gàosu tā.   Míngtiān bié gàosu tā.
   (Or: Bú yào gàosu tā.)

   别 …

   Do not tell him. Do not tell him tomorrow.

2. **... bǐ ... gèng ...; ... hé ... yíyàng ...**

   ... hé ... chàbuduō

   Guǎngzhōu   bǐ   Shànghǎi   gèng rè.
   Guǎngzhōu   bǐ   Běijīng   rè de duō.
   Guǎngzhōu   hé   Táiwān   yíyàng rè.
   Zhèr de tiānqì hé nàr de tiānqì chàbuduō.

   …比…更… ；…和…
   一样…
   …和…差不多

   Canton is even hotter than Shanghai.
   Canton is much hotter than Beijing.
   Canton is as hot as Taiwan.
   The weather here is nearly the same as it is there.

3. **sentences for weather — a fine day**

   Jīntiān tiānqì hěn hǎo.
   Jīntiān qíngtiān.
   sentences for weather — cloudy, rainy, ...
   Jīntiān yīntiān.
   Jīntiān duōyún.
   Jīntiān xià dà yǔ.
   Jīntiān yǒushí yǒu yǔ.
   Jīntiān huì xiàxuě.
   Jīntiān guāfēng.
   Jīntiān fēng hěn dà.
   sentences for weather — hot
   Jīntiān zhēn rè. Jīntiān tèbié rè.
   Jīntiān rè sǐ le. Jīntiān fēicháng rè.
   Jīntiān rè de bùdéliǎo. Jīntiān yǒu yìdiǎnr rè.
   Jīntiān bù lěng, yě bú rè.

   It is a fine day today.
   It is fine today.

   It is cloudy today.
   It is cloudy today.
   It is raining hard today.
   It rains on and off today.
   It will snow today.
   It is windy today.
   It is very windy today.

   It is very hot today. It is especially hot today.
   It is extremely hot.   It is very hot today.
   It is very very hot today. It is a little hot today.
   Today it is neither cold nor hot.

4. **... bān**

   Wǒmen xuéxiào yǒu wǔ ge Zhōngwén bān.
   Tā shì wǒde tóngbān tóngxué.
   Wǒ māma tiāntiān shàng zǎobān.

   …班

   There are five Chinese classes in our school.
   He is my classmate.
   My mother goes for the morning shift every day.

5. **chū qù**

   Jīntiān fēicháng lěng. Bié chū qù.
   Wǒ jiā hěn shǎo chū qù chīfàn.

   出去

   It is very cold today. Do not go out.
   My family seldom eats out.

Let's Talk

1. **What is the weather outside?**

   A: Wàibiān de tiānqì zěnmeyàng?   B: Zài guā dà fēng.

   A: Yǔ tíng le méiyǒu?   B: Hái zài xià.

   A: Lěng bùlěng?   B: Fēicháng lěng.

   Talk about the weather:
   1. Today's weather;
   2. An imaginary day with very bad weather.

2. **What will the weather be next week?**

   A: Xià xīngqī de tiānqì zěnmeyàng?   B: Tīngshuō xià xīngqī huì hěn lěng, érqiě huì xiàxuě.

   A: Zhēn de ma?

   Look at the weather forecast in the newspaper and talk about what the weather will be like next week.

3. **Comparing the Weather:**

   (The temperature provided in this drill is the mean readings of each location. The information is taken from: China Guidebook, by F.M. Kaplan, J.M. Sobin, and A.J. Krijzer; Houghton Mifflin Co., 1991.)

   A: Shànghǎi rè búrè?   B: Qī yuè Shànghǎi de zuì gāo wēndù shì 91 dù, suǒyǐ wǒ xiǎng bǐjiào rè.

   A: Běijīng ne?   B: Běijīng qī yuè de zuì gāo wēndù shì 89 dù, suǒyǐ wǒ xiǎng Běijīng méiyǒu Shànghǎi rè.

   Using the information provided in the following chart, compare the temperature of different places in July and in January.

   Mean Readings of Temperatures (minimum—maximum)

City	Shenyang	Beijing	Shanghai	Wuhan	Guilin	Nanjing	Guangzhou
January	2 — 20	14 — 35	32 — 47	34 — 46	41 — 55	24 — 58	49 — 65
July	71 — 78	71 — 89	75 — 91	78 — 93	76 — 93	75 — 93	77 — 91

4. **Compare Schools:**

   A: Nǐ juéde něi ge dàxué hǎo?   B: Princeton Dàxué hěn yǒumíng.

   A: Harvard Dàxué ne?   B: Harvard Dàxué hé Princeton Dàxué yíyàng yǒumíng.

   A: Yale ne?   B: Tāmen dōu chàbuduō.

   Talk about the sizes of several shopping malls using "... hé... yíyàng...", "... hé... chàbuduō."
   Talk about the tuition fees for different universities using:
   "... hé... yíyàng...", "... hé... chàbuduō."

Readings

--- 明天会不会下雨？

--- 明天会下大雨，刮大风，还会打雷，还会下大雪。

--- 别开玩笑！

--- 好，我不开玩笑。明天晴天，不冷，也不热。

--- 好极了！明天我们中文班要去中国城玩。

--- Míngtiān huì búhuì xiàyǔ?

--- Míngtiān huì xià dà yǔ, guā dà fēng, hái huì dǎléi, hái huì xià dà xuě.

--- Bié kāiwánxiào!

--- Hǎo, wǒ bù kāiwánxiào. Míngtiān qíngtiān, bù lěng, yě bú rè.

--- Hǎo jí le! Míngtiān wǒmen Zhōngwén bān yào qù Zhōngguóchéng wán.

听说台湾和 Florida 的天气差不多。我去年七月去台湾，觉得台湾比 Florida 更热。那儿的最高温度是一百度。天虽然非常热，可是我还是天天出去玩。我不怕热，而且台湾有很多有名的小吃。我最喜欢吃和玩。

Tīngshuō Táiwān hé Florida de tiānqì chàbuduō. Wǒ qùnián qī yuè qù Táiwān, juéde Táiwān bǐ Florida gèng rè. Nàr de zuì gāo wēndù shì yìbǎi dù. Tiān suīrán fēicháng rè, kěshì wǒ háishì tiāntiān chū qù wán. Wǒ bú pà rè, érqiě Táiwān yǒu hěn duō yǒumíng de xiǎochī. Wǒ zuì xǐhuān chī hé wán.

Reading Tasks for Pleasure

Task One   **Do you know?**

In China, Celsius is used to indicate temperature.
The following readings will give you some idea about the Celsius system:

$$\text{freezing point:} \quad 0\,℃ = 32\,℉$$
$$\text{boiling point:} \quad 100\,℃ = 212\,℉$$
$$\text{body temperature:} \quad 37\,℃ = 98.6\,℉$$

Task Two   **Read Weather Forecasts**

The following section includes clippings of weather forecasts from different newspapers.
Working in pairs, read each forecast carefully and see how much you can understand.

天气预报　tiānqì yùbào

今明旅游地区天气预报

地　点	日期	天　　气
桂林	今	阴有雨
	明	阴有雨
昆明	今	阴时多云
	明	阴时多云短暂雨
澳门	今	晴时多云
	明	多云
北塔山	今	阴时多云
	明	晴时多云
泰山	今	阴时多云
	明	阴时多云短暂雨
敦煌	今	阴时多云
	明	阴时多云短暂雨
峨眉山	今	阴有雨
	明	阴有雨
大理	今	阴有雨
	明	阴有雨
黄山	今	阴时多云
	明	阴时多云
石家庄	今	阴时多云
	明	多云
马鬃山	今	晴时多云
	明	晴时多云
景德镇	今	晴时多云
	明	多云

明日氣象

福州	23℃ ~ 19℃	阴短暂雨
南宁	29℃ ~ 23℃	阴短暂雨
海口	32℃ ~ 26℃	晴时多云
广州	30℃ ~ 23℃	晴时多云
厦门	25℃ ~ 20℃	阴短暂雨
汕头	30℃ ~ 23℃	多云时阴短暂雨
深圳	28℃ ~ 24℃	晴时多云
台北	26℃ ~ 22℃	多云

今　日　氣　象

太原：多云转阴 26-10度	兰州：阴有雨 28- 9度	南　京：晴天 18- 7度
济南：阴有雨　27-14度	拉萨：阴时多云 16- 4度	北　京：多云 10- 0度
青岛：多云转阴 19-12度	成都：多云时阴 26-16度	西　安：晴天 11- 1度
合肥：多云转阴 29-16度	贵阳：多云转阴 19-12度	沈　阳：多云 7- 0度
郑州：阴时多云 34-16度	广州：雨天 24-14度	东　京：多云 19-14度
武汉：阴时多云 29-20度	香港：雨天 20-16度	大　阪：多云 22-15度
长沙：阴时多云 24-18度	福州：阴天 20-15度	汉　城：多云 17-11度
南昌：阴时多云 24-18度	昆明：多云 14- 6度	曼　谷：多云 36-30度
长春：阴短暂雨 16- 6度	重庆：阴天 14- 9度	雅加达：阵雨 37-31度
大连：阴有雨　16- 8度	武汉：多云 19- 8度	吉隆坡：阵雨 36-31度
银川：阴时多云 25- 9度	杭州：晴天 16- 7度	新加坡：阵雨 37-30度
西宁：阴有雨 22- 5度	上海：晴天 17-10度	马尼拉：多云 36-30度

四季 Sìjì

春 chūn   白天 báitiān   夏 xià   晚上 wǎnshàng

草地 cǎodì   树叶 shùyè

星星亮 xīngxing liàng

晚风吹 wǎnfēng chuī

秋 qiū   中午 zhōngwǔ   冬 dōng   半夜 bànyè

金黄色 jīnhuáng sè

火红色 huǒhóng sè

树叶落下来了。 Shùyè luòxiàlái le.

月亮 yuèliàng

月光 yuèguāng

银色的世界 yín sè de shìjiè

More New Words

越	yuè	the more...	树叶	shùyè	a leaf
以前	yǐqián	before; ...ago	片	piàn	measure word for leaves
美丽	měilì	beautiful	有意思	yǒuyìsi	interesting
季节	jìjié	a season	落下来	luòxiàlái	to fall down
四季	sìjì	four seasons	银色	yín sè	silver

3

Building Blocks

A.

上来	shàng lái	_____ up
上去	shàng qù	_____ up
下来	xià lái	_____ down
下去	xià qù	_____ down
出来	chū lái	_____ out
出去	chū qù	_____ out
进来	jìn lái	_____ in
进去	jìn qù	_____ in
落下来	luòxiàlái	drop _____ (towards the speaker)
走下来	zǒuxiàlái	walk _____ (towards the speaker)

B.

半夜	bànyè	midnight
半天	bàn tiān	half _____
半年	bàn nián	half _____
半个月	bàn ge yuè	half _____

Key Structures

1. **... le.** (the end "le" — indicating the completion of an action up till now or sometime in the past)

Tā lái le méiyǒu?
Tā lái le. / Tā hái méi (yǒu) lái.

Zuótiān tā lái le méiyǒu?
Tā lái le. / Tā méi lái.

…了。

Has he come?
He has come. / He has not come yet.

Did he come yesterday?
He did. / He did not come.

2. **... le.** (the end "le" — indicating a change in the situation)

Tiān lěng le.
Shùyè luò le.
Yǐqián wǒ hěn xǐhuān tā, kěshì xiànzài bù xǐhuān tā le.

…了。

The weather is getting cold.
The leaves are falling.
Before I liked him a lot, but now I do not like him.

3. **yuèláiyuè ...**

Wǒ jiā qiánbiān de xiǎo shù yuèláiyuè gāo le.
Tiān yuèláiyuè hēi le.

越来越…

The little tree in front of my house is growing tall.
It is getting dark.

4. **yǒude ..., yǒude ...**

Yǒude xuésheng xiǎng qù, yǒude bù xiǎng qù.
Huāyuán lǐ yǒu hěn duō huā, yǒude shì hóng de, yǒude shì huáng de.

有的…，有的…

Some students want to go and some do not want to go.
There are a lot of flowers in the garden. Some are red and some are yellow.

5. **color words** — (as in English, in Chinese a noun can be used in front of a color word to define the color)

huǒhóng / jīnhuáng / xuěbái / tiānlán

火红／金黄／雪白／天蓝

fire-red / golden / snow-white / sky-blue

6. **measure word: piàn**
yí piàn shùyè / yí piàn yún
measure word: kē
yì kē shù

片
a leaf / a cloud
棵
a tree

7. **verb + xiàlái; xiàqù**
luòxiàlái
tiàoxiàlái
tiàoxiàqù

verb +下来；下去
fall down
jump down (towards the speaker)
jump down (away from the speaker)

Let's Talk

1. **Describe the Weather during the Four Seasons:**

   Qiūtiān lái le. Tiānqì yuèláiyuè liángkuài le. Qiūtiān de báitiān méiyǒu xiàtiān de báitiān cháng. Qiūtiān bù cháng xiàyǔ, kěshì yǒu shíhòu guāfēng.

   > Describe the weather in spring, summer and winter. The above model provides examples of what you can say for each season.

2. **Describe the Scenery during the Four Seasons:**

   Chūntiān shùyè lǜ le. Cǎodì lǜ le. Huā yě kāi le, yǒude hóng, yǒude huáng, yǒude bái, zhēn měilì.

   > Describe the scenery in summer, fall and winter. The above model provides examples of what you can say for each season. The following hints will be helpful to you:

   Summer: Flowers are pretty

	Flowers	Trees	Lawn	Houses
Summer	pretty	green	green	
Fall	fall's mum (júhuā)	leaves falling; some are red, some are yellow	green	
Winter	no flowers in the garden	no leaves on trees	yellow	
Snowy Day		white	white	white

3. **Which season do you like the best?**

   A: Nǐ zuì xǐhuān něi ge jìjié?

   B: Wǒ zuì xǐhuān dōngtiān.

   A: Nǐ wèishénme zuì xǐhuān dōngtiān?

   B: Yīnwèi wǒ xǐhuān xuě, érqiě wǒ pà rè, bú pà lěng. Nǐ xǐhuān dōngtiān ma?

   A: Xǐhuān, kěshì wǒ gèng xǐhuān chūntiān, yīnwèi chūntiān hěn měi.

   > Talk with your partner about which season he/she likes the best and why.

4. **Not anymore.**

   A: Wáng lǎoshī shì búshì nǐmen xuéxiào de Zhōngwén lǎoshī?

   B: Yǐqián shì, xiànzài bú shì le.

   > Create conversations based on the following situations:
   > 1. A asks B if Chinese is difficult. B says that he felt it was difficult before, but not anymore.
   > 2. A asks if he eats breakfast. B says that he did not eat breakfast before, but now he eats breakfast every morning.

Readings

春天来了！   Chūntiān lái le!

天气越来越暖和了。   Tiānqì yuèláiyuè nuǎnhuo le.

树叶绿了，   Shùyè lǜ le,

花儿开了。   huār kāi le.

真美丽！   Zhēn měilì!

3

夏天到了！   Xiàtiān dào le!

白天越来越长了。   Báitiān yuèláiyuè cháng le.

晚上，星星亮，   Wǎnshàng, xīngxing liàng,

晚风吹。   wǎnfēng chuī.

真有意思！   Zhēn yǒuyìsi!

秋天来了！   Qiūtiān lái le!

树叶落下来了。   Shùyè luòxiàlái le.

有的金黄，   Yǒude jīnhuáng,

有的火红。   yǒude huǒhóng.

美极了！   Měi jí le!

冬天到了！   Dōngtiān dào le!

天气越来越冷了。   Tiānqì yuèláiyuè lěng le.

半夜，月光下，   Bànyè, yuèguāng xià,

一个银色的世界，   yí ge yín sè de shìjiè,

安静极了！   ānjìng jí le!

Reading Tasks for Pleasure

Task One   **Do you know?**

In Chinese poetry, the following topics are frequently described:

春雨 chūnyǔ

夏云 xiàyún

秋月 qiūyuè

冬雪 dōngxuě

Task Two   **Do you know?**

Three famous novels by Bā Jīn are called:

《家》
Jiā

《春》
Chūn

《秋》
Qiū

四季活动 Sìjì Huódòng

郊外	jiāowài	海	hǎi
放风筝	fàng fēngzhēng	海边	hǎibiān
野餐	yěcān	游泳	yóuyǒng
小河	xiǎo hé		

爬山	páshān	公园	gōngyuán
坐船	zuòchuán	溜冰	liūbīng
长江	Chángjiāng	湖	hú
划船	huáchuán	堆雪人	duī xuěrén

More New Words

活动	huódòng	an activity	学得会	xuédehuì	to be able to learn
小时	xiǎoshí	an hour	学不会	xuébuhuì	to be unable to learn
飞走	fēi zǒu	to fly away	学会了	xuéhuì le	to have learned
并不	bìng bù	not... at all	没学会	méi xuéhuì	to have not learned
读书	dúshū	to study	念书	niànshū	to study

3

Building Blocks

A.

一个小时	yí ge xiǎoshí	_____ hour
两个小时	liǎng ge xiǎoshí	_____ hour
半个小时	bàn ge xiǎoshí	_____ hour
一个半小时	yí ge bàn xiǎoshí	_____ hour
几个小时	jǐ ge xiǎoshí	_____ hour

B.

海边	hǎibiān	_____ side
江边	jiāngbiān	_____ side
床边	chuángbiān	_____ side
门边	ménbiān	_____ side

C.

郊外	jiāowài	outside of _____
城外	chéng wài	outside of _____
校外	xiào wài	outside of _____
国外	guó wài	outside of _____

Key Structures

1. **xuédehuì, xuébuhuì**
kàndejiàn, kànbujiàn

学得会，学不会
看得见，看不见

(These verb combinations are used to indicate "to be able" or "to be unable" to complete the action.)

Wǒ xuédehuì Zhōngwén ma?   Will I be able to learn Chinese?
Wǒ xuédehuì huáxuě.   I will be able to learn how to ski.
Wǒ xuébuhuì liūbīng.   I will not be able to learn how to skate.

Nǐ kàndejiàn lǎoshī xiě de zì ma?   Can you see the characters written by the teacher?
Wǒ kàndejiàn lǎoshī xiě de zì.   I can see the characters written by the teacher.
Wǒ kànbujiàn lǎoshī xiě de zì.   I cannot see the characters written by the teacher.

2. **xuéhuì le, méi xuéhuì**
kànjiàn le, méi kànjiàn

学会了，没学会
看见了，没看见

(These verb combinations are used to indicate the completion or incompletion of an action.)

Nǐ xuéhuì liūbīng le méiyǒu?   Have you learned how to skate?
Wǒ xuéhuì le.   I have learned how to skate.
Wǒ hái méi xuéhuì.   I have not learned how to skate yet.

Nǐ zuótiān kànjiàn Wáng lǎoshī le méiyǒu?   Did you see Teacher Wang yesterday?
Wǒ zuótiān kànjiàn Wáng lǎoshī le.   I saw Teacher Wang yesterday.
Wǒ zuótiān méi kànjiàn Wáng lǎoshī.   I did not see Teacher Wang yesterday.

3. **... bìng bù / bú ...**

…并不…

Xué Zhōngwén bìng bù nán.   Learning Chinese is not difficult as expected.

4. **shéi dōu ...**

谁都…

Shéi dōu xǐhuān tā.   Everyone likes him.

5. **... jiù ...** (indicating "earlier than expected")

…就…

Tā zuótiān jiù zǒu le.   He left yesterday.
Wǒ shàng xīngqī sān jiù dǎdiànhuà gěi tā le.   I called him last Wednesday.

6. **dúshū** (study; read), **niànshū** (study),
kànshū (read)

读书，念书，看书

Tā zài gāozhōng dúshū / niànshū.   He studies at the high school.
Tā měi tiān dōu dú yì běn shū.   He reads a book a day.
Tā chángcháng qù shūdiàn kànshū.   He often goes to the bookstore to read.

Let's Talk

1. **Will I be able to learn...?**

    A: Nǐ huì búhuì yóuyǒng?

    A: Yóuyǒng hěn hǎowán. Wǒ jiāo nǐ.

    A: Xuédehuì. Shéi dōu xuédehuì.
       Wǒmen xīngqī tiān yìqǐ qù.

    B: Bú huì.

    B: Yóuyǒng zhème nán.
       Wǒ xuédehuì ma?

    B: Hǎo. Nǐ jiāo wǒ.

    Talk with your partner about learning how to row a boat and how to skate, using the above dialogue as a model.

2. **Have you learned how to...?**

    A: Zuótiān wǒ hé Xiǎo Zhāng
       yìqǐ qù xué liūbīng.

    A: Tài nán le. Wǒ méi xuéhuì,
       kěshì Xiǎo Zhāng yì xué jiù
       xuéhuì le.

    A: Huì.

    A: Hǎo jí le.

    B: Nǐmen xué de zěnmeyàng?

    B: Nǐ xīngqī tiān huì búhuì zài qù xué?

    B: Wǒ hé nǐ yìqǐ qù. Wǒ jiāo nǐ.

    Using the above dialogue as a model, talk with your partner about:
    1) a successful experience of learning how to row a boat;
    2) an unsuccessful experience of learning how to swim.

3. **Where do you prefer to go?**

    A: Nǐ xǐhuān qù gōngyuán
       háishì jiāowài?

    A: Hǎibiān lí zhèr tài yuǎn le.

    B: Gōngyuán hé jiāowài wǒ dōu bù xǐhuān qù.
       Wǒ xǐhuān qù hǎibiān.

    B: Hǎibiān suīrán yuǎn, kěshì zài hǎibiān
       yóuyǒng tài yǒuyìsī le.

    Talk with your partner about where he/she prefers to go and why.
    Try to use sentence patterns you have previously learned, such as:
    e.g. "... búdàn ..., érqiě ...", "Suīrán ..., kěshì ...".

4. **Do you often... in the spring?**

    A: Nǐ chūntiān chángcháng qù
       yěcān ma?

    A: Wǒ yǒu shíhòu qù, kěshì wǒ
       chángcháng qù huáchuán.

    B: Wǒ jiā chángcháng qù yěcān. Nǐ ne?

    Ask your partner what he/she does in the summer, fall and winter. Try to use frequency words,
    e.g. měi tiān dōu, chángcháng, yǒushíhòu, hěn shǎo, cónglái méiyǒu ... guò.

3

Readings

--- 我们明天一起去放风筝
好吗？

--- 可是我不会放风筝。

--- 我教你。

--- 我从来没放过风筝。
我学得会吗？

--- 学得会。谁都学得会。

(The next day they are flying kites.)

--- 你的风筝呢？

--- 你看，在那儿，在大树
的后边。

--- 哦，我看见了。
我告诉你放风筝并不难。
你半个小时就学会了。

--- 哈哈，我一学就会了！

(While he is laughing, the kite flies
away from his hand.)

--- 啊呀，我的风筝！
我的风筝飞走了！

--- 越来越远了，看不见了！

--- Wǒmen míngtiān yìqǐ qù fàng

fēngzhēng hǎo ma?

--- Kěshì wǒ bú huì fàng fēngzhēng.

--- Wǒ jiāo nǐ.

--- Wǒ cónglái méi fàngguò fēngzhēng.

Wǒ xuédehuì ma?

--- Xuédehuì. Shéi dōu xuédehuì.

--- Nǐde fēngzhēng ne?

--- Nǐ kàn, zài nàr, zài dà shù

de hòubiān.

--- O, wǒ kànjiàn le.

Wǒ gàosu nǐ fàng fēngzhēng bìng bù

nán. Nǐ bàn ge xiǎoshí jiù xuéhuì le.

--- Hā ha, wǒ yì xué jiù huì le!

--- Ā yā, wǒde fēngzhēng!

Wǒde fēngzhēng fēi zǒu le!

--- Yuèláiyuè yuǎn le, kànbujiàn le!

Reading Tasks for Pleasure

Task One   Can you find these oceans along China's coast?

黄海 (Huánghǎi)   东海 (Dōnghǎi)   南海 (Nánhǎi)

Task Two   A Poem

The following is a poem written by a student. Read the poem and talk about whether or not you like this student. Compare yourself to the student who wrote the poem.

春天不是读书天，我们郊外去野餐。

夏天不是看书天，海边游泳又划船。

秋天不是念书天，爬上高山看红叶。

冬天不是拿书天，溜冰滑雪是神仙。

Chūntiān bú shì dúshū tiān, wǒmen jiāowài qù yěcān.
Xiàtiān bú shì kànshū tiān, hǎibiān yóuyǒng yòu huáchuán.
Qiūtiān bú shì niànshū tiān, páshàng gāoshān kàn hóngyè.
Dōngtiān bú shì náshū tiān, liūbīng huáxuě shì shénxiān.

(拿—ná hold; 神仙—shénxiān supernatural being)

New Words in Unit Three

Lesson 7

tiānqì	weather
wēndù	temperature
zuì gāo wēndù	the highest temperature
zuì dī wēndù	the lowest temperature
tàiyáng	sun
yún	cloud
yǔ	rain
xuě	snow
fēng	wind
léi	thunder
duōyún	cloudy
shǎoyún	fine day; cloudless
xiàyǔ	rain (verb)
xiàxuě	snow (verb)
dǎléi	thunder (verb)
guāfēng	windy
qíngtiān	fine day
yīntiān	cloudy day
xiàyǔtiān	rainy day
rè	hot
lěng	cold
nuǎnhuo	warm
liángkuài	cool; chilly
fēicháng	very
... sǐ le	extremely...
... de bùdéliǎo	It's very...
bān	class
chū qù	go out
xiào	laugh
kāiwánxiào	joke (verb)
pà	fear
yíyàng	the same
chàbuduō	nearly the same
bié	don't... (imperative)

Lesson 8

jìjié	season
sìjì	four seasons
chūn	spring
xià	summer
qiū	autumn
dōng	winter
báitiān	daytime
shùyè	leaf
piàn	M.W. for leaves
luòxiàlái	fall down
wǎnfēng	wind of evening
chuī	blow
xīng	star
yuèliàng	moon
yuèguāng	moonlight
yín sè	silver color
jīnhuáng sè	golden color
huǒhóng sè	fire-red color
měilì	beautiful
yǒuyìsi	interesting
yuèláiyuè	more and more
yǐqián	before; ... ago
bàn	half
bànyè	midnight
bàn tiān	half a day
bàn nián	half a year
bàn ge yuè	half a month
shàng lái	come up
shàng qù	go up
xià lái	come down
xià qù	go down
chū lái	come out
chū qù	go out
jìn lái	come in
jìn qù	go in
yǒude	some

Lesson 9

huódòng	activity
jiāowài	suburb
gōngyuán	park
hǎi	sea
hǎibiān	seashore
jiāng	river
hé	river
hú	lake
Chángjiāng	Yangtze River
yóuyǒng	swim
chuán	boat
huáchuán	row a boat
zuòchuán	ride in a boat
cān	meal
yěcān	picnic; have a picnic
fēngzhēng	kite
fàng	put; let go
fàng fēngzhēng	fly a kite
fēi	fly
fēi zǒu	fly away
liūbīng	to skate
xuěrén	snowman
duī	pile up
duī xuěrén	make a snowman
pá	climb; crawl
páshān	climb a mountain
dúshū	study
niànshū	read a book; study
xuédehuì	be able to learn
xuébuhuì	be unable to learn
xuéhuì le	have learned
méi xuéhuì	have not learned
xiǎoshí	hour
bìng bù	not... at all
jiù	as early as (earlier than expected)

Cultural Information

Chinese New Year

The Chinese New Year is the most important festival in China. It is on the first day of the first lunar month, generally in January or February. In preparation houses are cleaned, debts are repaid and all the children return home for the festival. Fireworks are lit on the first night to scare away the evil spirits. The next day, everyone visits relatives, wearing brand new clothes. Children receive red packets of money, known as yasuiqian from their relatives.

Cities in Taiwan

Taipei, Kaohsiung, Tainan, and Taichung are the four major cities in Taiwan. Taipei is the capital of the Republic of China. It is the largest city in Taiwan. Kaohsiung is the second largest city. It is the biggest international seaport, industrial center and ship-breaking center in Taiwan. Taichung is the third largest city, and is the economic, cultural and communication center of Taiwan. Tainan had been the capital of the island for 222 years, from 1633-1885. It is famous for it's temples—there are over 200 in the city.

The Great Wall

The Great Wall, symbol of China's ancient civilization, is nearly 4,160 miles long across northern China. It was built in many parts over many centuries. The first sections were constructed starting in the seventh century B.C. to prevent invasions by the northern nomads. The many sections built at that time were unified into a single wall by Qin Shihuang, the first emperor of a unified China. The wall is made of earth, bricks and stones and is over 26 ft. high and 20 ft. wide in parts.

春节　Chūnjié

大年夜　Dàniányè
吃年夜饭　chī niányèfàn

放鞭炮　fàng biānpào

年初二　Nián chū'èr
给红包　gěi hóngbāo
穿新衣服　chuān xīn yīfu
恭喜　gōngxǐ

舞龙　wǔ lóng
舞狮　wǔ shī

More New Words

帮	bāng	to help	春联	chūnlián	New Year couplets
贴	tiē	to stick	这些	zhèixiē	these
最后	zuì hòu	the last; final	给···拜年	gěi... bàinián	to wish... a Happy New Year
全	quán	whole	忙	máng	busy
拿	ná	to hold; to take			

Building Blocks

A. 全家   quán jiā   whole _____

       全国   quán guó   whole _____

       全校   quán xiào   whole _____

       全班   quán bān   whole _____

B. 这些   zhèixiē   _____

       那些   nèixiē   _____

       哪些   něixiē   _____

C. 今年   jīnnián   _____ year

       新年   Xīnnián   _____ year

       拜年   bàinián   _____ year

       大年夜   Dàniányè   _____ year _____

       年夜饭   niányèfàn   _____ year _____

       年初一   Nián chūyī   _____ year

4

Key Structures

1. ### zhèixiē, nèixiē, něixiē

   Zhèixiē shū shì shéide?
   Nèixiē xuésheng dōu xiǎng qù.
   Nǐ xiǎng qù něixiē dìfāng?
   (cf.: yì běn shū—zhèixiē shū
   nèi ge xuésheng—nèixiē xuésheng
   něi ge dìfāng—něixiē dìfāng)

   ### 这些，那些，哪些

   Whose books are these?
   Those students all want to go.
   Which places do you want to go to?

2. ### ... bǎ + something + gěi + somebody

            Bǎ shū gěi Wáng lǎoshī.
   Qǐng   bǎ shū gěi Wáng lǎoshī.
   Bié   bǎ shū gěi Wáng lǎoshī.
   Wǒ   huì bǎ shū gěi Wáng lǎoshī.
   Nǐ   bǎ shū gěi Wáng lǎoshī le ma?
   Wǒ   bǎ shū gěi Wáng lǎoshī le.
   Wǒ zuótiān bǎ shū gěi Wáng lǎoshī le.
   Wǒ   méi bǎ shū gěi Wáng lǎoshī.
   Wǒ háiméi bǎ shū gěi Wáng lǎoshī.

   ### ···把 + something + 给 + somebody

   Give the book to Teacher Wang.
   Please give the book to Teacher Wang.
   Don't give the book to Teacher Wang.
   I will give the book to Teacher Wang.
   Have you given the book to Teacher Wang?
   I have given the book to Teacher Wang.
   I gave the book to Teacher Wang yesterday.
   I did not give the book to Teacher Wang.
   I have not given the book to Teacher Wang yet.

3. ### ... bǎ + something + verb + zài ...

   Qǐng bǎ chūnlián tiē zài ménshàng.
   Qǐng bǎ zǎofàn fàng zài zhuōzi shàng.
   Qǐng bǎ míngzi xiě zài shūshàng.

   ### ···把 + something + verb + 在···

   Please put the couplets on the door.
   Please put breakfast on the table.
   Please write your name on the book.

4. ### ... bǎ + something + nádào ... qù / lái

   Bié bǎ yǐzi nádào nàr qù.
   Bié bǎ yǐzi nádào zhèr lái.

   ### ···把 + something + 拿到··· 去 / 来

   Don't take the chair there.
   Don't bring the chair here.

5. ### chuān

   Wǒ xǐhuān chuān hóng yīfu.
   Wǒ chuān qī hào xiézi.
   ### chuānshàng
   Nǐ chuānshàng yīfu yào qù nǎr?
   Wàibiān zài xiàxuě. Kuài bǎ dàyī chuānshàng.

   ### 穿

   I like to wear red clothes.
   I wear size seven shoes.
   ### 穿上
   You have put on your clothes. Where are you going?
   It's snowing outside. Put on your coat immediately.

Let's Talk

1. **Talk about the Chinese New Year.**

    Finish the following as directed:

    Dàniányè shì yì nián de _____ .   Nèi tiān wǎnshàng _____ .

    Bànyè shí'èr diǎnzhōng _____ .

    Nián chūyī shì yì nián de _____ .   Nèi tiān zǎoshàng _____ .

    Xiǎoháizi _____ .

2. **Hurry, ...**

    A: Kuài qù kàn a!   B: Qù nǎr? Kàn shénme?

    A: O, jiēshàng zài wǔ lóng.   B: Zhēn de? Kuài qù kàn a!

    Create dialogues based on the following situations:
    1. There is a lion dancing in the street;
    2. There are firecrackers in the street.

3. **Where are the "New Year Couplets"?**

    A: Nǐ kànjiàn chūnlián le méiyǒu?   B: Wǒ bǎ chūnlián tiē zài ménshàng le.

    A: Nǐ wèishénme méi gàosu wǒ?   B: Duìbuqǐ.

    Create dialogues based on the following situations:
    1. A asks B if he saw the firecrackers. B says he gave them to his friends.
    2. A asks B if he saw her bowl. B says he has put it on the table.
    3. A asks B if he saw her book. B says that he put the book on the teacher's desk.

4. **Can I help?**

    A: Nǐ xiànzài máng bùmáng?   B: Bù máng.   Nǐ yào búyào wǒ bāngmáng?

    A: Tài hǎo le. Qǐng bǎ nèixiē shū   B: Něixiē?
       nádào zhèr lái.

    A: Nèixiē Zhōngwén shū.   B: Shì búshì zhèixiē?

    A: Shì, xièxie.

    Using the above dialogue as a model, create conversations based on the following situations:
    1. A asks B to write students' names on the paper. B asks A where he should write.
    2. A asks B to take those chairs to the living room. B asks A which chairs he should take.
    3. A asks B to take these bowls there. B asks A which bowls he should take.

Readings

--- 小明，快来！帮我把春联贴在门上。

--- 小明，快来！把这些菜拿到饭厅去。

--- 小明，快来！把碗筷放在桌子上。

--- 爷爷，奶奶，妈妈，我来了！
啊呀，大年夜真忙！可是我喜欢这么忙！

中国新年有时候在一月，有时候在二月。大年夜是一年的最后一夜，全家人一起吃年夜饭。年初一是新年的第一天。小孩子穿上新衣服，给大人拜年。他们说，"恭喜"，"新年快乐"。大人给小孩子红包。小孩子都很高兴。

--- Xiǎo Míng, kuài lái! Bāng wǒ bǎ chūnlián tiē zài ménshàng.

--- Xiǎo Míng, kuài lái! Bǎ zhèixiē cài nádào fàntīng qù.

--- Xiǎo Míng, kuài lái! Bǎ wǎn kuài fàng zài zhuōzi shàng.

--- Yéye, nǎinai, māma, wǒ lái le!
Āyā, Dàniányè zhēn máng! Kěshì wǒ xǐhuān zhème máng!

Zhōngguó Xīnnián yǒu shíhòu zài yī yuè, yǒushíhòu zài èr yuè. Dàniányè shì yì nián de zuì hòu yí yè, quán jiā rén yìqǐ chī niányèfàn. Nián chūyī shì Xīnnián de dì yī tiān. Xiǎo háizi chuānshàng xīn yīfu, gěi dàrén bàinián. Tāmen shuō, "Gōngxǐ", "Xīnnián kuàilè". Dàrén gěi xiǎo háizi hóngbāo. Xiǎo háizi dōu hěn gāoxìng.

Reading Tasks for Pleasure

Task One   **What are these characters? What do they mean?**

龍　龍　龍　龍
龍　龙　龙　龙

Task Two   **Read and Draw**

Read the following passage in groups and draw a picture to illustrate the content of
the reading. Also, discuss the cultural values and beliefs expressed in the passage.
Display pictures drawn by each group and decide which group's picture is the best.

大年夜的晚上，全家人都回家吃年夜饭。大
哥在美国回不来，妈妈还是把他的碗和筷子放在
饭桌上。

大年夜的晚上下了大雪，爷爷很高兴。他说：
"雪越下越大，年越过越好。"

大年夜的晚上，门上贴着红色的春联，桌上
放着红色的苹果，弟弟拿着爸爸给的红包。

Dàniányè de wǎnshàng, quán jiā rén dōu huíjiā chī niányèfàn. Dàgē
zài Měiguó huíbulái, māma háishì bǎ tāde wǎn hé kuàizi fàng zài fànzhuō
shàng.

Dàniányè de wǎnshàng xià le dàxuě, yéye hěn gāoxìng. Tā shuō,
"Xuě yuè xià yuè dà, nián yuè guò yuè hǎo."

Dàniányè de wǎnshàng, ménshàng tiēzhe hóng sè de chūnlián,
zhuō shàng fàngzhe hóng sè de píngguǒ, dìdi názhe bàba gěi de hóngbāo.

Lesson 11

暑假的打算　Shǔjià De Dǎsuàn

新年　Xīnnián

春节　Chūnjié

寒假　hánjià

春假　chūnjià

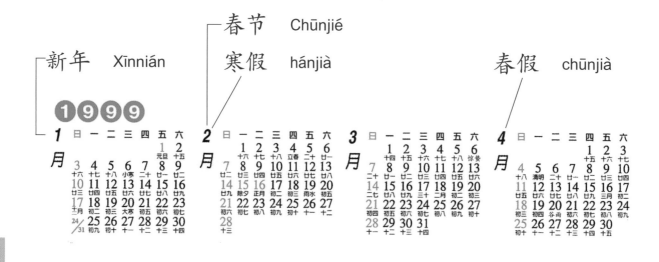

暑假　shǔjià

开学　kāixué

学年　xuénián

学期　xuéqī

More New Words

打算	dǎsuàn	to plan; a plan		然后	ránhòu	then
学习	xuéxí	to study		一边儿	yìbiānr	at the same time
以后	yǐhòu	from now on; after...		应该	yīnggāi	should
希望	xīwàng	to hope; a hope		飞机	fēijī	a plane
度假	dùjià	to have a vacation		用功	yònggōng	to study hard
从	cóng	from				

Building Blocks

A.

学生	xuésheng	_____
学校	xuéxiào	_____
学习	xuéxí	_____
学年	xuénián	school _____
学期	xuéqī	school _____
开学	kāixué	school _____
同学	tóngxué	_____

B.

越多越好	yuè duō yuè hǎo	the _____, the _____
越少越好	yuè shǎo yuè hǎo	the _____, the _____
越近越好	yuè jìn yuè hǎo	the _____, the _____
越忙越高兴	yuè máng yuè gāoxìng	the _____, the _____
越大越舒服	yuè dà yuè shūfu	the _____, the _____
越新越好看	yuè xīn yuè hǎokàn	the _____, the _____

Key Structures

1. **xiān..., zài / ránhòu ...**
   Wǒ xiān chīfàn, zài qù xuéxiào.
   Wǒ huì xiān qù mǎicài, ránhòu huíjiā zuòfàn.

   先…，再／然后…
   I will eat first and then go to school.
   I will go grocery shopping first, then go home to cook.

2. **... huì / dǎsuàn zài + place + verb + a period of time** (– for a future action)
   Wǒ huì zài Táiběi zhù liǎng ge xīngqī.
   Wǒ dǎsuàn zài Táizhōng wán sān tiān.

   …会／打算在 + place + verb + a period of time
   I will stay in Taipei for two weeks.
   I plan to visit Taichung for three days.

3. **... time + how + cóng ... dào ... (qù / lái)**
   ... time + cóng ... + how + dào ... (qù / lái)
   Wǒ dǎsuàn xīngqī sān zuò fēijī cóng Niǔyuē dào Huáshèngdùn qù.
   Tā míngtiān huì cóng tā jiā kāichē dào wǒ jiā lái.

   …time + how + 从…到…（去／来）
   …time + 从…how + 到…（去／来）
   I plan to fly from New York to Washington on Wednesday.
   Tomorrow he will drive from his home to mine.

4. **... kuài ... le.**
   Dōngtiān kuài dào le.

   …快…了。
   Winter is coming.

5. **Yǐhòu, ...**
   Yǐhòu, nǐ yīnggāi tiāntiān chī zǎofàn.
   Yǐhòu, bié tiāntiān kàn diànshì le.

   以后，…
   From now on, you should eat breakfast every day.
   From now on, don't watch TV every day.

   ... yǐhòu, ... (more in Lesson 15)
   Fàngxué yǐhòu, wǒ huì qù Xiǎo Wáng de jiā.

   …以后，…
   After school, I will go to Little Wang's home.

6. **yuè ... yuè ...**
   Yīfu yuè xīn yuè hǎo; péngyou yuè lǎo yuè hǎo.

   越…越…
   The newer the clothes are, the better; the older the friend is, the better.

7. **yìbiānr ..., yìbiānr ...**
   Tā chángcháng yìbiānr chīfàn, yìbiānr kànshū.
   Bié yìbiānr zuò gōngkè, yìbiānr kàn diànshì.

   一边儿…，一边儿…
   He often reads books while eating.

   Don't watch TV while doing your homework.

8. **verb + de duì; verb + de bú duì**
   Nǐ shuō de hěn duì, kěshì tā shuō de bú duì.
   Tā kuàizi ná de bú duì.

   verb + 得对；verb + 得不对
   What you said is right, but what he said is wrong.
   He is not holding the chopsticks correctly.

Let's Talk

1. **What are you going to do on Sunday?**

   A: Fàngxué yǐhòu nǐ dǎsuàn zuò shénme?   B: Wǒ huì huíjiā. Nǐ ne?

   A: Wǒ huì xiān qù yùndòng, ránhòu huíjiā
   zuò gōngkè.

   Talk with your partner about what you plan to do after school.
   Ask your friend what he/she plans to do after lunch.

2. **How long will you stay there?**

   A: Wǒ jiā yào qù Florida dùjià.   B: Nǐmen shénme shíhòu huì qù?

   A: Xià xīngqī wǔ.   B: Nǐmen dǎsuàn zài nàr wán jǐ tiān?

   A: Yì tiān.   B: Yì tiān bú gòu.

   Imagine that A is going to a certain place for a vacation. B asks A when he/she will go and
   how long he/she will stay there.

3. **What time is it now?**

   A: Xiànzài jǐ diǎn?   B: Shíyī diǎn sìshí wǔ fēn.

   A: O, kuài chīfàn le.

   Ask your partner the time and have him/her reply that:
   1. It's nearly the time for class;
   2. It's nearly the end of the school day.

4. **You should not....**

   A: Nǐ yīnggāi hǎohāo chīfàn, bù yīnggāi   B: Nǐ shuō de duì, kěshì wǒ tài xǐhuān
   yìbiānr chīfàn, yìbiānr kànshū.   kànshū le.

   Create a conversation based on the following situation:
   Tell your friend that he/she should not watch TV while doing homework.
   Your friend takes your advice willingly.

5. **My Itinerary**

   Jīnnián chūnjià, wǒ huì cóng Niǔyuē zuò fēijī qù L.A. Wǒ huì zài L.A. wán liǎng
   tiān. Ránhòu, wǒ huì qù San Francisco. Wǒ huì zài nàr zhù sì tiān. Ránhòu
   wǒ huì huí Niǔyuē.

   Tell your partner the itinerary of a trip you will take.

Readings

--- 暑假快到了。你打算去哪儿度假？

--- Shǔjià kuài dào le. Nǐ dǎsuàn qù nǎr dùjià?

--- 我打算去台湾学中文。

--- Wǒ dǎsuàn qù Táiwān xué Zhōngwén.

--- 好棒！你要去多久？

--- Hǎo bàng! Nǐ yào qù duōjiǔ?

--- 两个月。

--- Liǎng ge yuè.

--- 这么久！

--- Zhème jiǔ!

--- 越久越好。我打算先去台中我朋友的家，在那儿住一个星期，然后去台北玩两天，再坐飞机从台北到台南，在台南玩三天，再坐…

--- Yuè jiǔ yuè hǎo. Wǒ dǎsuàn xiān qù Táizhōng wǒ péngyou de jiā, zài nàr zhù yí ge xīngqī, ránhòu qù Táiběi wán liǎng tiān, zài zuò fēijī cóng Táiběi dào Táinán, zài Táinán wán sān tiān, zài zuò...

--- 等一等。你天天玩，什么时候学中文呢？

--- Děng yì děng. Nǐ tiāntiān wán, shénme shíhòu xué Zhōngwén ne?

--- 一边儿玩，一边儿学中文。玩就是学习，学习也是玩。

--- Yìbiānr wán, yìbiānr xué Zhōngwén. Wán jiù shì xuéxí, xuéxí yě shì wán.

--- 说得对！我希望我也能去台湾又学习又玩。

--- Shuō de duì! Wǒ xīwàng wǒ yě néng qù Táiwān yòu xuéxí yòu wán.

--- 那你今年秋天应该来"中文一"学中文。

--- Nà nǐ jīnnián qiūtiān yīnggāi lái "Zhōngwén yī" xué Zhōngwén.

Reading Tasks for Pleasure

Task One   **A Comic**

王太太：夏天到了。
　　　　我们去海边度假，
　　　　好吗？

王先生：我不会游泳，
　　　　去海边做什么？

王太太：我们去法国度假，
　　　　好吗？

王先生：我们不会说法语，
　　　　去法国做什么？

王太太：那我们去哪儿度假
　　　　呢？

王先生：我们在家度假吧！

王太太：什么，在家度假？

王先生：对，在家！

王太太：好，在家。
　　　　你做饭，我度假。

旅行回来　Lǚxíng Huí Lái

长城
Chángchéng

拍
pāi

照片　zhàopiàn

故宫　Gùgōng

旅馆
lǚguǎn

旅行
lǚxíng

More New Words

再	zài	again; then	拍照	pāizhào	to take a photo
旅行	lǚxíng	to travel; a travel	一张照片	yì zhāng zhàopiàn	one photo
本来	běnlái	originally	过生日	guò shēngrì	to celebrate one's birthday
后来	hòulái	afterwards; later	…的时候	… de shíhòu	at the time of...
礼物	lǐwù	a gift; a present			

Building Blocks

A.

前边	qiánbiān	in the front
以前	yǐqián	before
她来以前	tā lái yǐqián	before _____

B.

后边	hòubiān	at the back
后来	hòulái	later
最后	zuì hòu	at last
然后	ránhòu	then
以后	yǐhòu	from now on
三天以后	sān tiān yǐhòu	_____ later
她来以后	tā lái yǐhòu	after _____

C.

什么时候	shénme shíhòu	what time
有时候	yǒu shíhòu	_____
…的时候	… de shíhòu	_____
小时候	xiǎoshíhòu	_____

Key Structures

1. **yòu** ("again" – for a past or present event)
   zài ("again" – for a future action)
   Nǐ yòu shuō cuò le. Qǐng nǐ zài shuō.
   zài ("then" – indicating "next in a sequence")
   Wǒmen xiān qù Běijīng, zài qù Shànghǎi.

   又
   再
   You said it wrong again. Please say it again.
   再
   We will go to Beijing first and then go to Shanghai.

2. ... past time + verb + le. (for a past action)
   Nǐ chūnjià qù nǎr le?
   Wǒ chūnjià qù Zhōngguó le.
   ... time + **zài** + place + verb + le + a period of time. (for a past action)
   Wǒ qùnián zài nàr zhù le wǔ ge yuè.
   Nǐ zài nàr wán le jǐ tiān?
   ... time + **zài** + place + verb + le + number + measure word + noun.
   (for a past action)
   Wǒ zuótiān zài shūdiàn mǎi le yì běn shū.
   Wǒ shàng xīngqī xué le wǔshí ge zì.
   ... time + **zài** + place + verb + le + **hěn duō** + noun. (for a past action)
   Wǒ qùnián zài Běijīng pāi le hěn duō zhàopiàn.

   ··· past time + verb + 了。

   Where did you go during the spring vacation?
   I went to China.
   ··· time + 在 + place + verb + 了 + a period of time.
   I stayed there for five months last year.
   How many days did you stay there?
   ··· time + 在 + place + verb + 了 + number + measure word + noun.

   I bought a book in the bookstore yesterday.
   Last week I learned 50 words.
   ··· time + 在 + place + verb + 了 + hěn duō + noun.
   Last year I took many photos in Beijing.

3. ... de shíhòu, ...
   Shàngkè de shíhòu, bié shuìjiào.
   Wǒ zài Shànghǎi de shíhòu, xuéhuì le hěn duō Shànghǎi huà.
   Wǒ xiǎo de shíhòu zhù zài Niǔyuē.

   ···的时候，···
   Don't sleep in class.
   When I was in Shanghai, I learned a lot of Shanghai dialect.
   When I was a child, I lived in New York.

4. Yǐqián, ...
   Yǐqián, wǒ bú huì shuō Zhōngwén.
   ... yǐqián, ... (more in Lesson 15)
   Zuótiān chīfàn yǐqián, wǒ zài jiā.
   Wǒ qù lǚxíng yǐqián, mǎi le yì shuāng xiézi.

   以前，···
   Before, I could not speak Chinese.
   ···以前，···
   I was at home before the meal yesterday.
   Before traveling, I bought a pair of shoes.

5. ... běnlái ..., kěshì hòulái ...
   Wǒ běnlái bù xiǎng qù, kěshì hòulái wǒ qù le.

   ···本来···，可是后来···
   Originally, I didn't want to go, but later I went.

Let's Talk

1. **Where did you go...?**

   A: Nǐ shàngkè yǐqián qù nǎr le?　　　B: Wǒ qù túshūguǎn le.

   > Ask your partner: 1. Where he/she went before lunch;
   > 　　　　　　　　　 2. Where he/she went after lunch.

2. **Where did you go in the summer?**

   A: Nǐ shǔjià qù nǎr le?　　　　　　　B: Wǒ qù Zhōngguó le.
   A: Nǐ zài Zhōngguó wán le duōjiǔ?　　B: Wǒ zài Zhōngguó wán le sān ge xīngqī.
   　　　　　　　　　　　　　　　　　　　　Wǒ chī le hěn duō dōngxi, hái mǎi le
   　　　　　　　　　　　　　　　　　　　　hěn duō dōngxi.

   A: Nǐ mǎi le shénme dōngxi?　　　　 B: Wǒ mǎi le wǔ jiàn yīfu, liǎng běn shū, sān
   　　　　　　　　　　　　　　　　　　　　zhāng huà, ...

   > Ask your friend about a trip he/she took recently. Ask him/her how long the trip was
   > and what he/she bought.

3. **My Father's Trip to...**

   Sān ge yuè yǐqián, wǒ bàba qù Zhōngguó lǚxíng. Tā zài Běijīng zhù le liǎng ge xīngqī.
   Ránhòu tā qù Shànghǎi. Zài nàr zhù le sān tiān yǐhòu, wǒ bàba huí Měiguó le.

   > Talk about a recent trip you or somebody else took recently. Use the above passage as a
   > model.

4. **You are doing it again?**

   A: Nǐ yòu yìbiānr chīfàn, yìbiānr kànshū le!　B: Duìbuqǐ. Wǒ tài xǐhuān zhèi běn shū.
   A: Yǐhòu nǐ bù néng zài yìbiānr chīfàn,
   　　yìbiānr kànshū le.

   > Create conversations based on the following situations:
   > 　　1. Mom finds John watching TV while doing his homework. She talks to John and
   > 　　　　tells him not to do it again.
   > 　　2. The teacher finds Jane talking while writing characters. She talks to Jane and
   > 　　　　tells her not to do it again.

5. **Where did you... when you...?**

   A: Nǐ xiǎo de shíhòu zhù zài nǎr?　　　　B: Wǒ zhù zài Niǔyuē.
   A: Nǐ zhù zài Niǔyuē de shíhòu qùguò　　B: Qùguò hěn duō cì.
   　　Zhōngguóchéng ma?

   > Ask your partner where he lived when he was a child and if he has been to a certain place.

Readings

--- 这件汗衫真特别！

--- 我是在长城买的。

--- 你暑假又去北京了！
你明年会不会再去？

--- 不一定。我知道你一定
也想要一件。我在北京
买了两件。我给你一件
吧。

--- 我给你钱。

--- 别给我钱。这是我送给
你的生日礼物。

--- 可是我的生日已经过了。

--- 那就是新年礼物吧！

　　我今年暑假去中国旅
行。到中国以前，我先去
日本玩了两天，然后坐飞
机去北京。我本来只打算
在中国玩十天。后来因为
中国这么好玩，而且旅馆
又不贵，所以我玩了二十
天。在中国的时候，我拍
了很多照片。

--- Zhèi jiàn hànshān zhēn tèbié!

--- Wǒ shì zài Chángchéng mǎi de.

--- Nǐ shǔjià yòu qù Běijīng le!

Nǐ míngnián huì búhuì zài qù?

--- Bù yídìng. Wǒ zhīdào nǐ yídìng

yě xiǎng yào yí jiàn. Wǒ zài Běijīng

mǎi le liǎng jiàn. Wǒ gěi nǐ yí jiàn

ba.

--- Wǒ gěi nǐ qián.

--- Bié gěi wǒ qián. Zhè shì wǒ sòng gěi

nǐ de shēngrì lǐwù.

--- Kěshì wǒde shēngrì yǐjīng guò le.

--- Nà jiù shì Xīnnián lǐwù ba!

　Wǒ jīnnián shǔjià qù Zhōngguó lǚxíng.

Dào Zhōngguó yǐqián, wǒ xiān qù Rìběn wán

le liǎng tiān, ránhòu zuò fēijī qù Běijīng. Wǒ

běnlái zhǐ dǎsuàn zài Zhōngguó wán shí tiān.

Hòulái yīnwèi Zhōngguó zhème hǎowán, érqiě

lǚguǎn yòu bú guì, suǒyǐ wǒ wán le èrshí tiān.

Zài Zhōngguó de shíhòu, wǒ pāi le hěn duō

zhàopiàn.

Reading Tasks for Pleasure

Task One   **Do you know...?**

Where are these places? Can you identify them?

这是＿＿＿＿＿。

这是＿＿＿＿＿。

4

这是＿＿＿＿＿。

这是＿＿＿＿＿。

这是＿＿＿＿＿。

New Words in Unit Four

Lesson 10

Chūnjié	Chinese New Year
Dàniányè	Chinese New Year's Eve
niányèfàn	the dinner on the Eve of the Chinese New Year
Nián chūyī	Chinese New Year's Day
yīfu	clothing
chuān	wear
chuānshàng	put on
hóngbāo	luck money envelope
shī	lion
lóng	dragon
wǔ shī	do lion dance
wǔ lóng	do dragon dance
biānpào	firecrackers
fàng biānpào	play firecrackers
gěi... bàinián	wish... a Happy New Year
gōngxǐ	congratulations
chūnlián	New Year couplets
tiē	paste; stick
bāng	help
ná	hold; take
máng	busy
zhè xiē; zhèixiē	these
nà xiē; nèixiē	those
nǎ xiē; něixiē	which (for plural)
zuì hòu	the last; final
quán	whole
bǎ... gěi...	give...
bǎ... tiē zài...	paste... on...
bǎ... fàng zài... shàng	put... on...
bǎ... nádào... lái	bring... to...
bǎ... nádào... qù	take... to...

Lesson 11

jià	vacation; holiday
hánjià	winter vacation
chūnjià	spring vacation
shǔjià	summer vacation
dùjià	have a vacation
dǎsuàn	plan
xuéxí	study
yònggōng	study hard
xuénián	school year
xuéqī	semester
kāixué	school starts
jiéshù	finish
fēijī	plane
xīwàng	hope
yīnggāi	should
cóng... dào... lái	from... come to...
cóng... dào... qù	from... go to...
yǐhòu	from now on; after...
ránhòu	then
xiān..., ránhòu...	first..., then...
yìbiānr	at the same time
kuài... le	it will... soon
yuè... yuè...	the more..., the more...
... de duì	do... correctly
... de bú duì	do... incorrectly
jiǔ	for a long time
duōjiǔ	how long
jiǔ shì	exactly is

Lesson 12

huí	return
huí lái	come back
lǚguǎn	hotel
lǚxíng	travel
qù... lǚxíng	make a trip to...
gōng	palace
Gùgōng	Palace Museum
zhàopiàn	photo
zhāng	M.W. for photos
pāi	clap; pat
pāi zhàopiàn	take a picture
běnlái	originally
hòulái	afterwards; later
guò shēngrì	to celebrate one's birthday
lǐwù	gift; present
jiàn	M.W. for gifts
dào... yǐqián	before getting to...
yǒu shíhòu	sometimes
... de shíhòu	when...
zài... de shíhòu	when...
xiǎoshíhòu	in someone's childhood
shàng kè de shíhòu	during class
yòu	again
zài	again; then
bù yídìng	not sure

Unit 5

中国的学校 Zhōngguó De Xuéxiào

Cultural Information

Chinese Schools

In China, education is very highly valued. Most schools are coeducational and free, but in recent years there have been an increasing number of private schools. The aims of the educational system are summarized in four words: de, zhi, ti, mei, meaning "virtue, knowledge, body and health." In Chinese schools discipline is emphasized, and students take the responsibility of keeping the school clean. Now schools are trying to include new technologies.

Subjects

In China, students study many of the same subjects as American students do. However, Chinese students do not have any choice in the subjects they must study. Every student moves along in a structured curriculum. Examinations are a very important part of the Chinese educational system. Students go to extra classes and study long hours in order to do well on highly competitive examinations. Good grades on these exams allow students to go on to higher education, and attend the best universities.

School Schedule

In China, the school day has four morning periods and two afternoon periods followed by after-school activities. In the morning, after two periods, there is a break for morning exercises. These exercises are done to music. During the day, a time is set for eye exercises. At noon there is a lunch break and in the summer months, a naptime. After school, many students go to supplementary classes to get extra help or to accelerate their learning.

Lesson 13

校园 Xiàoyuán

电脑室 diànnǎoshì

游泳池 yóuyǒngchí

停车场 tíngchēchǎng

教室 jiàoshì

男厕所 nán cèsuǒ

女厕所 nǚ cèsuǒ

图书馆 túshūguǎn

食堂 shítáng

校长室 xiàozhǎngshì

办公室 bàngōngshì

医务室 yīwùshì

运动场 yùndòngchǎng

第一中学

我在第一中学学习。
Wǒ zài Dì Yī Zhōngxué xuéxí.

校园 xiàoyuán

More New Words

设备	shèbèi	facility	找	zhǎo	to look for
附近	fùjìn	nearby; vicinity	找到	zhǎodào	to find
像	xiàng	to be alike	重要	zhòngyào	important
爱	ài	to love	想到	xiǎngdào	to think of
女儿	nǚ'ér	a daughter	有人	yǒu rén	somebody
连	lián	even	经常	jīngcháng	often

Building Blocks

A.

校园	xiàoyuán	school campus
花园	huāyuán	_____ garden
菜园	càiyuán	_____ garden
公园	gōngyuán	park
动物园	dòngwùyuán	zoo

B.

教室	jiàoshì	_____ room
卧室	wòshì	_____ room
浴室	yùshì	_____ room
办公室	bàngōngshì	office
校长室	xiàozhǎngshì	_____ office

C.

饭馆	fànguǎn	restaurant
旅馆	lǚguǎn	hotel
图书馆	túshūguǎn	library

5

Key Structures

1. ... shénme dōu ..., lián ... yě ...
   Tā shénme bǐ dōu yǒu, lián máobǐ yě yǒu.

   …什么都…，连…也…
   He has all kinds of pens, even writing brushes.

2. ... de zuǒbiān;   zuǒbiān de ...
   Yùshì zài wǒde wòshì de zuǒbiān.
   Zuǒbiān de wòshì bǐ yòubiān de wòshì dà.

   …的左边；左边的…
   The bathroom is on the left of my bedroom.
   The bedroom on the left is bigger than the one on the right.

3. Zhème ... shéi bù ... ne?
   Zhème hǎo de xuésheng shéi bù xǐhuān ne?

   这么…谁不…呢？
   Who wouldn't like such a good student?

4. zhǎodedào, zhǎobudào
   zhǎodào le, méi zhǎodào
   Nǐ zhǎodedào nèi ge xuésheng ma?
   Wǒ xiǎng wǒ zhǎodedào nèi ge xuésheng.
   Wǒ xiànzài zhǎobudào tā.

   Nǐ zhǎodào nǐde shū le méiyǒu?
   Wǒ zhǎodào wǒde shū le.
   Wǒ zuótiān méi zhǎodào wǒde shū. Jīntiān
   wǒ huì zài (再) qù zhǎo.

   找得到，找不到
   找到了，没找到
   Will you be able to find that student?
   I think I will be able to find that student.
   I cannot find him/her now.

   Have you found your book?
   I have found my book.
   I did not find my book yesterday. Today I will look for it again.

5. ... xiàng ...
   Wǒ hěn xiàng wǒ māma.
   Wǒ hé wǒ dìdi bú xiàng.

   …像…
   I look like my mother.
   My brother and I do not look alike.

6. ... zhōng zuì + adj. + de (...).
   ... zuì + adj. + de (...).
   Tā shì tā jiā sān ge háizi zhōng zuì gāo de.
   Tā shì tā jiā zuì gāo de háizi.

   …中最 + adj. + de (…)。
   …最 + adj. + de (…)。
   He is the tallest of the three children in the family.
   He is the tallest child in the family.

7. ... érqiě, gèng zhòngyào de shì ...
   Nǐ wèishénme xué Zhōngwén?
   Yīnwèi wǒ yǒu hěn duō Zhōngguó péngyou,
   érqiě, gèng zhòngyào de shì wǒ xǐhuān
   Zhōngguó wénhuà.

   …而且，更重要的是…
   Why are you studying Chinese?
   Because I have a lot of Chinese friends. In addition, and most importantly, I like Chinese culture.

5

Let's Talk

1. **I can speak any language, even...**

   A: Wǒ shénme huà dōu huì shuō, lián   B: Nǐ huì búhuì shuō Táiwān huà?
   Shànghǎi huà yě huì shuō.

   A: Huì.   B: Zhēn de?

   Now create conversations based on the following situations:
   1. A boasts that he can make any kind of meal.
   2. A boasts that she can paint any kind of painting.

2. **Who are they?**

   A: Nǐ kàn, zhèi zhāng zhàopìan yǒu   B: Zuǒbiān de rén hé yòubiān de rén
   liǎng ge rén.   hěn xiàng.

   A: Zuǒbiān de shì māma, yòubiān shì nǚ'ér.   B: Zhēn de? Wǒ méi xiǎngdào.

   Create a dialogue based on the following situation:
   A and B are looking at two cars. B thinks these two cars are alike, but A tells him
   they are different. The right one is more expensive than the left one.

3. **Who does not... such...!**

   A: Nǐ juéde huì yǒu xuésheng xiǎng qù   B: Zhème hǎo de dàxué shéi bù
   nèi ge dàxué niànshū ma?   xiǎng qù niànshū ne!

   Create dialogues based on the following situations:
   1. A is not sure if there will be any students who want to go to Chinatown. B thinks
   that everyone would like to go to such a fun place.
   2. A is not sure if there will be any students who want to see that movie. B thinks that
   everyone would like to see such a good movie.

4. **Have you found...?**

   A: Nǐ zuótiān zhǎodào nǐde shū le méiyǒu?   B: Méi zhǎodào.
   A: Nǐ jīntiān zhǎodào shū le méiyǒu?   B: Zhǎodào le.
   A: Nǐ shì zài shénme dìfāng zhǎodào de?   B: Zài wǒde wòshì.

   Ask your partner if he saw Little Wang yesterday and today, and where he saw him. (kàndào)

5. **My School**

   Talk about your school using the following sentence patterns:

   Wǒde xuéxiào zài...   ... yǒu..., háiyǒu...   ... búdàn..., érqiě...
   Suīrán..., kěshì...   ... shénme dōu yǒu..., lián... yě...
   Wǒ ài..., yīnwèi..., érqiě, gèng zhòngyào de shì...

--- 哇，你们的学校这么大，就像一个大学！

--- Wa, nǐmende xuéxiào zhème dà, jiù xiàng yí ge dàxué!

--- 我们有两千多个学生呢！

--- Wǒmen yǒu liǎngqiānduō ge xuésheng ne!

--- 找学生一定很难。

--- Zhǎo xuésheng yídìng hěn nán.

--- 是啊，经常找不到。

--- Shì a, jīngcháng zhǎobudào.

--- 那些都是教室吗？

--- Nèixiē dōu shì jiàoshì ma?

--- 是，每个教室里都有电脑和电视机。

--- Shì, měi ge jiàoshì lǐ dōu yǒu diànnǎo hé diànshìjī.

--- 你们有没有游泳池？

--- Nǐmen yǒu méiyǒu yóuyǒngchí?

--- 有。我们学校什么都有，连停车场也有两个。左边的停车场是老师的，右边的是学生的。

--- Yǒu. Wǒmen xuéxiào shénme dōu yǒu, lián tíngchēchǎng yě yǒu liǎng ge. Zuǒbiān de tíngchēchǎng shì lǎoshī de, yòubiān de shì xuésheng de.

--- 没想到一个高中有这么大的校园，这么好的设备！

--- Méi xiǎngdào yí ge gāozhōng yǒu zhème dà de xiàoyuán, zhème hǎo de shèbèi!

--- 不但校园大，设备好，而且，更重要的是我们学校是附近五个学校中最好的一个。

--- Búdàn xiàoyuán dà, shèbèi hǎo, érqiě, gèng zhòngyào de shì wǒmen xuéxiào shì fùjìn wǔ ge xuéxiào zhōng zuì hǎo de yí ge.

--- 你真爱你的学校！

--- Nǐ zhēn ài nǐde xuéxiào!

Reading Tasks for Pleasure

Task One   **Do you know...?**

世界上最早的图书馆在五千年以前就已经有了。美国国会图书馆是世界最大的图书馆。北京图书馆是亚洲最大的图书馆。美国哈佛大学的图书馆是世界最大、书最多的大学图书馆。

Shìjièshàng zuì zǎo de túshūguǎn zài wǔqiān nián yǐqián jiù yǐjīng yǒu le. Měiguó Guóhuì Túshūguǎn shì shìjiè zuì dà de túshūguǎn. Běijīng Túshūguǎn shì Yàzhōu zuì dà de túshūguǎn. Měiguó Hāfó Dàxué de túshūguǎn shì shìjiè zuì dà, shū zuì duō de dàxué túshūguǎn.

5

Task Two   **Which places are these ?**

学科 Xuékē

语文
yǔwén

外语
wàiyǔ

历史
lìshǐ

地理
dìlǐ

数学
shùxué

物理
wùlǐ

化学
huàxué

生物
shēngwù

音乐
yīnyuè

美术
měishù

体育
tǐyù

自修
zìxiū

More New Words

搬家	bānjiā	to move	正在	zhèngzài	to be doing
学科	xuékē	a school subject	一些	yìxiē	some (for plural)
别的	biéde	other; else	文化	wénhuà	a culture
看得懂	kàndedǒng	can understand by reading	说得清楚	shuōde qīngchǔ	to be able to say clearly
有些	yǒuxiē	some (for plural)	可惜	kěxī	pity

除了…以外	chúle... yǐwài	except for...; besides
对…有兴趣	duì... yǒu xìngqù	to be interested in...

Building Blocks

A.
别的学生　　biéde xuésheng　　other _____

别的学科　　biéde xuékē　　other _____

别人　　biérén　　other _____

B.
一些学生　　yìxiē xuésheng　　_____ students

这些学生　　zhèixiē xuésheng　　_____ students

那些学生　　nèixiē xuésheng　　_____ students

哪些学生　　něixiē xuésheng　　_____ students

C.
越学越想学　　yuè xué yuè xiǎng xué　　the _____ , the _____

越学越高兴　　yuè xué yuè gāoxìng　　the _____ , the _____

越学越有兴趣　　yuè xué yuè yǒu xìngqù　　the _____ , the _____

1. **kàndedǒng, kànbudǒng**
   kàndǒng le, méi kàndǒng

   看得懂，看不懂
   看懂了，没看懂

   Nǐ kàndedǒng Zhōngwén ma?
   Wǒ kàndedǒng, kěshì tā kànbudǒng.

   Can you read Chinese?
   I can read Chinese, but he cannot.

   Zhèi běn shū nǐ kàndǒng le méiyǒu?
   Zhèi běn shū wǒ kàndǒng le.
   Nèi běn shū wǒ zuótiān kàn le yí ge
   xiǎoshí, hái méi kàndǒng.

   Did you understand this book?
   I understood this book.
   I read that book for an hour yesterday, but I still
   did not understand it.

2. **talking about school subjects**

   Nǐ xuéguò shēngwù le méiyǒu?
   Wǒ xuéguò shēngwù le.
   Wǒ méi xuéguò shēngwù.
   Wǒ hái méi xué shēngwù.
   Wǒ zài / zhèngzài xué shēngwù.

   Have you taken biology?
   I have taken biology.
   I did not take biology before.
   I have not taken biology yet.
   I am taking biology.

3. **... le ... le.** (up until now)

   ... le ... (sometime in the past)

   … 了 … 了。
   … 了 …

   Nǐ xué le jǐ nián Zhōngwén le?
   Wǒ xué le liǎng nián (Zhōngwén) le.
   Nǐ chūzhōng de shíhòu xué le jǐ nián
   Zhōngwén?
   Wǒ chūzhōng de shíhòu xué le yì nián
   Zhōngwén.

   How many years have you been studying Chinese?
   I have been studying it for two years.
   How many years did you study Chinese when
   you were in middle school?
   I studied Chinese for one year when I was in
   middle school.

4. **Chúle ... yǐwài, ...**

   除了 … 以外，…

   Chúle shū yǐwài, tā shénme dōngxi dōu méiyǒu.   He has nothing else except books.

5. **... duì ... yǒu xìngqù**

   … 对 … 有兴趣

   Wǒ duì Zhōngguó wénhuà fēicháng yǒu xìngqù.   I'm very much interested in Chinese culture.
   Wǒ duì wùlǐ yìdiǎnr xìngqù yě méiyǒu.   I am not interested in physics at all.

6. **yìxiē, yǒuxiē, yǒude**

   一些，有些，有的

   Jiàoshì lǐ yǒu yìxiē xuésheng. Yǒude
   xuésheng zài kànshū, yǒude zài shuōhuà.
   Yǒuxiē zì hěn róngyì, yǒuxiē zì hěn nán.

   There are some students in the classroom. Some
   are reading and some are talking.
   Some characters are easy and some are difficult.

Let's Talk

1. **Do you understand...?**

   A: Zhè shì Zhōngwén háishì Rìwén?   B: Wǒ xiǎng shì Rìwén.
   A: Nǐ kàndedǒng Rìwén ma?   B: Wǒ kàndedǒng yìdiǎnr Zhōngwén,
       kěshì kànbudǒng Rìwén.

   You see a book. You ask your friend whether it is in Spanish or in French. Create
   conversations based on this scenario.

2. **Did you understand...?**

   A: Nǐ tīngdǒng tā shuō de huà le méiyǒu?   B: Wǒ méi tīngdǒng. Nǐ ne?
   A: Wǒ yě méi tīngdǒng.   B: Tā shuō de bù qīngchǔ.

   Create conversations based on the following situations:
       1. A asks B if he understands the song someone is singing.
       2. A asks B if he understands the characters someone writes.

3. **Talking about Choosing a Course:**

   A: Nǐ xuéguò shìjiè lìshǐ méiyǒu?   B: Xuéguò le.
   A: Nǐ shì shénme shíhòu xué de?   B: Wǒ shì zài chū sān de shíhòu xué de.
       Xiànzài wǒ zhèngzài xué Měiguó lìshǐ.

   A: Nǐ míngnián háihuì xué lìshǐ ma?   B: Huì.
   A: Nǐ xué le jǐ nián lìshǐ le?   B: Wǒ yǐjīng xué le sān nián le.
       Wǒ duì lìshǐ hěn yǒu xìngqù.

   Talk with your partner about what subjects he has/has not learned, what subjects he is
   learning, and what subjects he will learn next year.

4. **Which subject do you like the best?**

   A: Nǐ zuì xǐhuān shénme xuékē?   B: Wǒ zuì xǐhuān Zhōngwén.
   A: Nǐ wèishénme zuì xǐhuān   B: Yīnwèi Zhōngwén búdàn hěn yǒuyìsi,
       Zhōngwén?   érqiě hěn yǒuyòng.
   A: Nǐ zuì bù xǐhuān shénme xuékē?   B: Wùlǐ. Chúle wùlǐ yǐwài, wǒ shénme
           xuékē dōu xǐhuān.

   A: Nǐ wèishénme zuì bù xǐhuān wùlǐ?   B: Yīnwèi wùlǐ yuè xué yuè nán.

   Talk with your partner about what subject you like/do not like, and why. Try to use patterns
   such as: ... yuè... yuè...   Suīrán..., kěshì...
       ... búdàn..., érqiě...   Chúle... yǐwài, ...

--- 哦，你看得懂中文！

--- 看得懂一点儿。我在初中的时候学了两年中文。后来，我们搬家了，新学校没有中文课，所以我不能学了。

--- 太可惜了！我们这儿有一百多个学生在学中文。

--- 你中文学了几年了？

--- 我学了三年多了。

--- 我真希望我能到你们的学校来念书。

　　我是十年级的学生。今年我正在学一些很重要的学科。我觉得除了数学以外，别的学科都不难。数学越学越难。中文并不难。我学了两年了。我听得懂一点儿中文，也看得懂一点儿中文。我对中国文化特别有兴趣。

--- Ó, nǐ kàndedǒng Zhōngwén!

--- Kàndedǒng yìdiǎnr. Wǒ zài chūzhōng de shíhòu xué le liǎng nián Zhōngwén. Hòulái, wǒmen bānjiā le, xīn xuéxiào méiyǒu Zhōngwén kè, suǒyǐ wǒ bù néng xué le.

--- Tài kěxī le! Wǒmen zhèr yǒu yìbǎiduō ge xuésheng zài xué Zhōngwén.

--- Nǐ Zhōngwén xué le jǐ nián le?

--- Wǒ xué le sān nián duō le.

--- Wǒ zhēn xīwàng wǒ néng dào nǐmende xuéxiào lái niànshū.

　　Wǒ shì shí niánjí de xuésheng. Jīnnián wǒ zhèngzài xué yìxiē hěn zhòngyào de xuékē. Wǒ juéde chúle shùxué yǐwài, biéde xuékē dōu bù nán. Shùxué yuè xué yuè nán. Zhōngwén bìng bù nán. Wǒ xué le liǎng nián le. Wǒ tīngdedǒng yìdiǎnr Zhōngwén, yě kàndedǒng yìdiǎnr Zhōngwén. Wǒ duì Zhōngguó wénhuà tèbié yǒu xìngqù.

Reading Tasks for Pleasure

Task One   **Do you know...?**

一千五百年以前，在中国有
一个科学家，叫祖冲之。

Zu Chongzhi was sure that the ratio of circumference of a circle (π) was between 3.1415926 and 3.1415927.

He figured out a smart way to indicate the approximation of the value of π :

1. Write the first three odd numbers, two times each — 113355

2. Separate the first three digits from the last three — 113, 355

3. Divide 113 by 355 — $\frac{113}{355}$ $\boxed{=3.1415929}$

4. 3.1415929 is the approximation of π .

祖冲之
(Zǔ Chōngzhī)

中国科学家
(kēxuéjiā — scientist)

5

中国数学家华罗庚(1910-1985)

最大的愿望是：

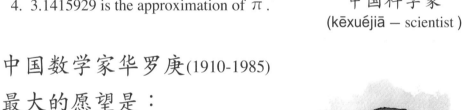

工作到最后一天。

Hua Luogeng was born into a poor family. Because of financial reasons, he had to quit school and work in a shop. He taught himself mathematics. At the age of 19, he was invited by a professor at Qinghua University in Beijing to study mathematics. Later, he was sent to England to study. He published numerous articles and books.

In June 12, 1985, 74-year-old Hua Luogeng attended an international conference in Tokyo, Japan. The audience burst into applause as Hua finished his speech, and this great mathematician then leaned to one side and breathed his last breath.

华罗庚
(Huà Luógēng)

中国数学家
(shùxuéjiā — mathematician)

Lesson 15

课表　Kèbiǎo

学科＼星期		一	二	三	四	五	六
上午	1　8:10〜9:00	历史	地理	手工工艺	数学	美术	卫生
	2　9:10〜10:00	生物	化学	历史	语文	数学	劳动
	3　10:10〜11:00	外语	物理	数学	计算机	劳动	周会
	4　11:10〜12:00	语文	数学	外语	计算机	音乐	班会
	12:10〜12:50	午			休		
下午	5　1:00〜1:50	数学	语文	化学	外语	物理	
	6　2:00〜2:50	地理	语文	公民	生物	历史	
	7　3:10〜4:00	劳动	生物	语文	保健	语文	
	8　4:10〜5:00	外语	物理	语文	外语	数学	

有课
yǒu kè

没有课
méiyǒu kè

上（一）节课
shàng (yì) jié kè

这节课
zhèi jié kè

下（一）节课
xià (yì) jié kè

两节课
liǎng jié kè

上课
shàngkè

下课

下课
xiàkè

More New Words

才	cái	only (later than expected)	课表	kèbiǎo	a class schedule	
死	sǐ	to die	换	huàn	to exchange	
迟到	chídào	late	老是	lǎoshì	always	
开始	kāishǐ	to begin	五分钟	wǔ fēnzhōng	5 minutes	
最好	zuìhǎo	had better	累	lèi	tired	
病	bìng	to fall sick or ill				

Building Blocks

A.

两节课	liǎng jié kè	_____ periods
第二节课	dì èr jié kè	_____ period
第几节课	dì jǐ jié kè	_____ period
哪节课	něi jié kè	_____ period
上一节课	shàng yì jié kè	_____ period
下一节课	xià yì jié kè	_____ period
这一节课	zhè yì jié kè	_____ period
每节课	měi jié kè	_____ period
最后一节课	zuì hòu yì jié kè	_____ period

B.

上课	shàngkè	_____
下课	xiàkè	_____
第一课	dì yī kè	_____
功课	gōngkè	_____
课表	kèbiǎo	_____

5

Key Structures

1. **jiù + verb + le.** (earlier than expected)

   就 + verb + 了。

   Tāmen xuéxiào liǎng diǎn jiù fàngxué le.
   Their school day ends early at 2:00.

   Qùnián shíyī yuè jiù xiàxuě le.
   It snowed early in November last year.

   cái + verb (later than expected)

   才 + verb

   Tā bā diǎn bàn cái dào xuéxiào.
   He did not get to school until 8:30.

   Lín Měi gāo sān cái xué wùlǐ.
   Lin Mei did not take physics until grade 12.

   zài + verb (not now; later)

   再 + verb

   Wǒmen sān diǎn zài huíjiā.
   We will go home at 3:00.

   Wǒmen míngtiān zài shuō ba!
   We will talk about it tomorrow.

2. **asking questions about one's schedule**

   Nǐ jīntiān yǒu jǐ jié kè?
   How many lessons do you have today?

   Nǐ dì jǐ jié kè chīfàn?
   Which period do you have lunch?

   Nǐ něi jié kè chīfàn?
   Which period do you have lunch?

   Nǐ xià yì jié shàng shénme kè?
   What class do you have next period?

   Xià yì jié shì shénme kè?
   What class is next period?

   Nǐ chī le fàn yǐhòu shàng shénme kè?
   What class(es) do you have after lunch?

   Nǐ zuì xǐhuān shénme kè?
   What subject do you like the best?

3. **... verb + le ... (yǐhòu), jiù ...**

   … verb + 了 …（以后），就 …

   (for talking about daily routine actions or future actions)

   Wǒ měi tiān chī le zǎofàn yǐhòu jiù qù xuéxiào.
   Every day after eating breakfast, I go to school.

   Wǒ shàng le zìxiūkè jiù qù chīfàn.
   After study hall I will go to eat.

4. **bǎ ... verb + yī + verb**

   把 … verb + 一 + verb

   Wǒ xiǎng bǎ kèbiǎo huànyíhuàn.
   I would like to change my schedule.

   Qǐng bǎ nǐde dìzhǐ xiěyìxiě.
   Please write your address.

   Nǐ zuìhǎo bǎ zhèi běn shū zài kànyíkàn.
   You'd better look at this book again.

5. **Nǐ zuìhǎo ...**

   你最好 …

   Nǐ zuìhǎo xiànzài qù.
   You'd better go now.

   Nǐ zuìhǎo míngtiān bié qù.
   You'd better not go tomorrow.

6. **kāishǐ**

   开始

   Shùxuékè kāishǐ le méiyǒu?
   Has math class begun?

   Zhèi jié kè yǐjīng kāishǐ le wǔ fēnzhōng le.
   Five minutes have passed since the beginning of this period.

Let's Talk

1. **What time did you come to school this morning?**

   A: Nǐ jīntiān zǎoshàng shì shénme shíhòu lái xuéxiào de?

   B: Wǒ shíyī diǎn cái lái.

   A: Nǐ wèishénme zhème wǎn cái lái?

   B: Wǒ qù kàn yīshēng le.

   A asks B what time he came to school and then asks why he came so early.   B tells A that he came to school at seven o'clock to do his homework.

2. **He is late again.**

   A: Diànyǐng yǐjīng kāishǐ bàn ge xiǎoshí le, kěshì tā hái méi lái.

   B: Tā yòu chídào le.

   A: Tā lǎoshì chídào.

   A and B are at a birthday party (shēngrì wǎnhuì). The party began an hour ago, but C, as usual, is late.   A and B talk about C's lateness.

3. **What do you do after...?**

   A: Nǐ měi tiān shàng le Zhōngwén kè yǐhòu zuò shénme?

   B: Wǒ shàng le Zhōngwén kè yǐhòu jiù qù chīfàn.

   A: Chī le fàn yǐhòu ne?

   B: Wǒ chī le fàn yǐhòu jiù qù shàng Yīngwén kè.

   Using the above dialogue as a model, create a conversation based on a mother asking her daughter about her schedule at school.

4. **Can I change my schedule?**

   A: Wǒ xiǎng yào zài dì wǔ jié yǐhòu chīfàn. Nǐ néng bùnéng bāng wǒ huànyíhuàn?

   B: Nǐ wèishénme yào huàn?

   A: Wǒ tiāntiān dì sì jié kè yǐhòu jiù juéde hěn è.

   B: Duìbuqǐ. Nǐ bù néng huàn. Nǐ zuìhǎo tiāntiān chī zǎofàn.

   Imagine a student is talking to a guidance councilor to request a change in his schedule.

5. **My Schedule**

   Wǒ měi tiān shàng jiǔ jié kè. Měi jié kè sìshí fēnzhōng. Wǒde dì yī jié kè shì Yīngwén. Dì èr jié kè shì shùxué. Ránhòu, wǒ shàng Zhōngwén, wùlǐ hé lìshǐ. Wǒ dì liù jié kè chīfàn. Chī le wǔfàn wǒ jiù qù shàng tǐyùkè. Dì bā hé dì jiǔ jié dōu shì zìxiū. Wǒ měi tiān fàngxué yǐhòu jiù qù yùndòng.

   Follow the above example to say something about your own schedule.

--- 你今年的课表怎么样？

--- 你看，第一节是英文。
上了英文以后就上物理，
上了物理又上英文，然后
上数学和化学。真累死了！
而且第六节课才吃饭，
会饿死了！

--- 你最好去把课表换一换。

--- 我不想换。我要第六节
和我的朋友一起吃饭。

--- 对！朋友最重要！

--- 中文课已经开始五分钟
了。John怎么还没来？
他又迟到了！他老是在
食堂和他的朋友说话。

--- 老师，他病了，去医务
室了。

--- 你怎么知道？

--- 我是他的朋友。

--- Nǐ jīnnián de kèbiǎo zěnmeyàng?

--- Nǐ kàn, dì yī jié shì Yīngwén. Shàng le
Yīngwén yǐhòu jiù shàng wùlǐ, shàng le
wùlǐ yòu shàng Yīngwén, ránhòu shàng
shùxué hé huàxué. Zhēn lèi sǐ le!
Érqiě dì liù jié kè cái chīfàn, huì è sǐ
le!

--- Nǐ zuìhǎo qù bǎ kèbiǎo huànyíhuàn.

--- Wǒ bù xiǎng huàn. Wǒ yào dì liù jié
hé wǒde péngyou yìqǐ chīfàn.

--- Duì! Péngyou zuì zhòngyào!

--- Zhōngwén kè yǐjīng kāishǐ wǔ fēnzhōng
le. John zěnme hái méi lái?
Tā yòu chídào le! Tā lǎoshì zài
shítáng hé tāde péngyou shuōhuà.

--- Lǎoshī, tā bìng le, qù yīwùshì le.

--- Nǐ zěnme zhīdào?

--- Wǒ shì tāde péngyou.

Task One   A Comic

〝迟到先生〞── 〝完了先生〞
〝Chídào xiānsheng〞— 〝Wán le xiānsheng〞 (wán le — finished)

王先生老是迟到，所以他的朋友
都叫他〝迟到先生〞。

有一天，他去看电影。他走到电
影院。那儿一个人也没有。

他很高兴。他说，〝电影还没开
始！今天我不是'迟到先生'了，
我是'早到先生'。〞

他在说话的时候，电影院的门打
开了，很多人从电影院里走出来。

王先生说，〝啊呀，电影已经完
了！今天我不是'迟到先生'，
也不是'早到先生'，我是'完了
先生'！〞

New Words in Unit Five

Lesson 13

xiàoyuán	school campus
Dì Yī Zhōngxué	No.1 Middle School
jiàoshì	classroom
bàngōngshì	office
xiàozhǎngshì	principal's office
yīwùshì	medical room; dispensary
nán cèsuǒ	men's room
nǚ cèsuǒ	women's room
chǎng	a level open space
yùndòngchǎng	sports field
tíng	stop
tíngchēchǎng	parking lot
chí	pool
yóuyǒngchí	swimming pool
tú	picture
túshūguǎn	library
nǎo	brain
diànnǎoshì	computer room
diànshìjī	TV set
shítáng	cafeteria
shèbèi	facility
fùjìn	nearby; vicinity
zhòngyào	important
xiàng	to be alike
ài	love
nǚ'ér	daughter
yǒu rén	somebody
zhǎo	look for
zhǎodào	find
xiǎng	think
xiǎngdào	think of...
lián... yě...	even
jīngcháng	often

Lesson 14

xuékē	school subject
yǔ	language
yǔwén	language and literature
wàiyǔ	foreign language
lìshǐ	history
dìlǐ	geography
shùxué	mathematics
wùlǐ	physics
huàxué	chemistry
yīnyuè	music
měishù	art
tǐyù	physical education
tǐyùguǎn	gym; stadium
wénhuà	culture
zìxiū	self-study
biéde	other; else
kàndedǒng	can understand by reading
qīngchǔ	clearly
shuōde qīngchǔ	be able to say clearly
zhèngzài	be doing
yìxiē	some (for plural)
yǒuxiē	some (for plural)
chúle... yǐwài	except for...; besides
duì... yǒu xìngqù	be interested in...
bān	move
bānjiā	move (residence)
kěxī	pity

Lesson 15

kèbiǎo	class schedule
kè	period; lesson
dì shíwǔ kè	Lesson15
jié	M.W. for class periods
zhèi jié kè	this class period
shàng jié kè	last class period
xià jié kè	next class period
jǐ jié kè	how many class periods
liǎng jié kè	two class periods
nǎ / něi jié kè	which class period
dì jǐ jié kè	which class period
dì èr jié kè	the 2nd class period
zuì hòu yì jié kè	the last class period
měi jié kè	each class period
gōngkè	assignment
yǒu kè	have a class
méiyǒu kè	have no class
shàngkè	time for class
xiàkè	class dismissal
kāishǐ	begin
chídào	late
lǎoshì	always
fēn	minute
zhōng	clock
wǔ fēnzhōng	5 minutes
huàn	exchange
cái	as late as (later than expected)
lèi	tired
sǐ	die
bìng	fall ill or sick
zuìhǎo	had better
bǎ... yī...	(used for asking someone to do something)

Cultural Information

Chinese Opera

Chinese Opera is a traditional form of entertainment. It began centuries ago as simple street performances, and came up with many styles with individual region's differences. In some areas the focus is on singing, while in other places it is on acrobatics or dancing. The stories in the operas come from folktales, legends, classical novels and epic tales. The stages are generally quite bare, but costumes are often very ornate. Today, the Beijing opera is the most popular style. The Beijing opera incorporates dance, mime, acrobatics and singing.

Traditional Chinese Tales

In China, children's stories are not only entertaining, but provide moral guidance as well. The story of Mulan is about a girl who takes her father's place in an ancient Chinese army. Mulan is not only brave, but exhibits the Chinese quality of filial piety—respect for one's parents. The Monkey King is a familiar character in Chinese opera. He goes with a Buddhist monk to India, enduring hardships and protecting the monk from many evils. He is devoted to his master, but always full of mischief.

Paper Cutting

Paper cutting is a traditional art form in China. It is usually done by people in the countryside in their free time. The intricate paper cuttings may depict designs, symbols, patterns, characters or even whole scenes. They may be used to decorate houses during festivals, weddings and funerals. Sometimes they are even used as stencils for embroidery or prints on linens. Unique patterns are often handed down from generation to generation.

6

吃不惯 Chībuguàn

听不懂 tīngbudǒng

喝不惯 hēbuguàn

生水
shēngshuǐ

看不懂 kànbudǒng

学不会 xuébuhuì

找不到 zhǎobudào

吃不惯 chībuguàn

生菜
shēngcài

做不完 zuòbuwán

我帮你
wǒ bāng nǐ

John Brown
中文学生
Zhōngwén xuésheng

李小文
刚从中国来
gāng cóng Zhōngguó lái

More New Words

考试	kǎoshì	an examination	生	shēng	raw; uncooked
报告	bàogào	a report	刚	gāng	just now
问题	wèntí	a question; a problem	吃得惯	chīdeguàn	to be used to eating
成绩	chéngjī	grades; scores	…完	… wán	finish doing…
一个句子	yí ge jùzi	one sentence			

Building Blocks

A.

考中文	kǎo Zhōngwén	_____
考试	kǎoshì	_____
考试得A	kǎoshì dé A	_____

B.

一个问题	yí ge wèntí	_____ question
问一个问题	wèn yí ge wèntí	_____ question
没问题	méi wèntí	_____

C.

生水	shēngshuǐ	_____ water
开水	kāishuǐ	_____ water
热水	rè shuǐ	_____ water
冷水	lěng shuǐ	_____ water
冰水	bīng shuǐ	_____ water
汽水	qìshuǐ	_____ water
雨水	yǔshuǐ	_____ water

6

Key Structures

1. verb + **deguàn**; verb + **buguàn**

   Měiguó rén dōu chīdeguàn Zhōngguó fàn ma?

   Xiǎo háizi hēbuguàn kāfēi.
   Hěn duō Měiguó rén yòngdeguàn kuàizi.

   verb + 得惯 ； verb + 不惯
   Are Americans used to Chinese food?

   Little children are not used to coffee.
   Many Americans are used to using chopsticks.

2. ... **yǐqián**, ... **huì** ... (for future actions)

   Chīfàn yǐqián, wǒ huì bǎ gōngkè zuòwán.
   Nǐ míngtiān lái yǐqián, wǒ huì gàosu tā.

   ... **yǐqián**, ... **jiù** ... **le**. (for past actions)

   Fàngxué yǐqián, tā jiù huíjiā le.
   Tā gàosu wǒ yǐqián, wǒ jiù zhīdào le.

   …以前，…会…
   Before eating, I will finish my homework.
   Before you come tomorrow, I'll tell him.

   …以前，…就…了。
   Before the end of the day, he went home.
   Before he told me, I had known.

3. ... verb + **le** ... (**yǐhòu**), ...
   ... **huì / jiù** (for future actions)

   Tā lái le yǐhòu, wǒ huì zǒu.
   Wǒ chī le fàn, jiù zuò gōngkè.

   ... verb + **le** ... (**yǐhòu**), **jiù** ... **le**.
   (for past actions)

   Zuótiān tā shàng le kè yǐhòu, jiù huíjiā le.
   Tā zài zhèr zhù le sān tiān, jiù huíjiā le.

   …verb + 了…（以后），…
   会／就…
   After he comes, I will leave.
   After eating, I will do my homework.

   …verb + 了…（以后），
   就…了。
   Yesterday after class, he went home.
   After staying here for three days, he went home.

4. verb + **dewán**; verb + **buwán**
   verb + **wán le**; **méi** verb + **wán**

   Zhèixiē gōngkè nǐ yì tiān zuòdewán ma?
   Yì tiān wǒ zuòbuwán, kěshì sān tiān wǒ zuòdewán.
   Nǐmen jīntiān de gōngkè zuòwán le méiyǒu / ma?

   Wǒ zuòwán le, kěshì tā méi zuòwán.

   verb + 得完 ； verb + 不完
   verb + 完了 ； 没 verb + 完
   Can you finish the homework in a day?
   I cannot finish it in a day, but I can finish it in three days.
   Have you finished today's homework?

   I have completed it, but he has not.

5. **xiěwán / xiěhǎo**

   Wǒ yǐjīng bǎ bàogào xiěwán / xiěhǎo le.

   写完／写好
   I have finished writing the report.

6. ... **bú shì** ..., **jiù shì** ...

   Shàngkè de shíhòu, tā bú shì shuōhuà, jiù shì shuìjiào.

   …不是…，就是…
   In class, he is either talking or sleeping.

Let's Talk

1. Are you used to...?

A: Nǐ hēdeguàn bīng niúnǎi ma?   B: Wǒ hēbuguàn. Wǒ cónglái méi
                                                      hēguò bīng niúnǎi.

    Ask your partner whether he/she is used to eating ... / drinking ... / using ... certain things.
    Use these verb combinations: chīdeguàn   chībuguàn
       hēdeguàn   hēbuguàn   yòngdeguàn   yòngbuguàn

2. Have you finished...?

A: Nǐ bàogào xiěwán le méyǒu?   B: Méi xiěwán.
A: Nǐ jīntiān xiědewán ma?   B: Wǒ xiǎng wǒ xiědewán.

    Ask your friend: 1. If he/she has finished doing his/her homework;
                         2. If he/she has finished reading a book;
                         3. If he/she has finished using his/her pen.
    The following verb combinations will be helpful:

zuòdewán	zuòbuwán	zuòwán le	méi zuòwán
kàndewán	kànbuwán	kànwán le	méi kànwán
yòngdewán	yòngbuwán	yòngwán le	méi yòngwán

3. Where did you go after...? Where will you go after...?

A: Nǐ zuótiān shàngwán kè qù nǎr le?   B: Wǒ shàngwán kè jiù huíjiā le.
A: Jīntiān shàngwán kè yǐhòu nǐ huì   B: Wǒ shàngwán kè huì qù
    qù nǎr?   túshūguǎn.
A: Hǎo, wǒ qù túshūguǎn zhǎo nǐ.

    Ask your partner where he/she went after finishing lunch yesterday, and where he/she
    will go after finishing lunch tomorrow.
    Ask your partner where he/she went after finishing doing his/her homework yesterday,
    and where he/she will go after finishing doing his/her homework today.

4. How are his grades?

A: Tīngshuō tāde chéngjī hěn hǎo.   B: Duì. Tā kǎoshì bú shì dé A , jiù shì dé B.
A: Tāde chéngjī wèishénme zhème   B: Tā měi tiān bú shì zuò gōngkè , jiù shì
    hǎo?   kànshū.

    Using the above model, talk with your partner about a student whose grades are not so
    good. You will need this word: chà (not good) — Tāde Zhōngwén chéngjī hěn chà.

Readings

--- 你吃得惯美国东西吗？

--- 现在我吃得惯了，可是
刚来的时候我吃不惯生
菜，喝不惯生水。在中
国生水是不能喝的。

--- 对！我暑假去中国旅行
的时候老是忘记不能喝
生水，又找不到冰水。

--- 你报告写完了没有？

--- 我连一个句子也没写。
在中国的时候，我从来
没写过报告。你能不能
帮帮我？

--- 没问题。

　　张文两年以前到美国
的时候，一点儿英文也听
不懂，可是后来他的美国
朋友天天和他说英文，还
教他怎么写报告。现在他
英文都听得懂，看得懂。
他的成绩非常好，考试不
是得A，就是得B。

--- Nǐ chīdeguàn Měiguó dōngxi ma?

--- Xiànzài wǒ chīdeguàn le, kěshì gāng
lái de shíhòu wǒ chībuguàn shēngcài,
hēbuguàn shēngshuǐ. Zài Zhōngguó
shēngshuǐ shì bù néng hē de.

--- Duì! Wǒ shǔjià qù Zhōngguó lǚxíng de
shíhòu lǎoshì wàngjì bù néng hē
shēngshuǐ, yòu zhǎobudào bīng shuǐ.

--- Nǐ bàogào xiěwán le méiyǒu?

--- Wǒ lián yí ge jùzi yě méi xiě. Zài
Zhōngguó de shíhòu, wǒ cónglái méi
xiěguò bàogào. Nǐ néng bùnéng
bāngbang wǒ?

--- Méi wèntí.

　　Zhāng Wén liǎng nián yǐqián dào Měiguó
de shíhòu, yìdiǎnr Yīngwén yě tīngbudǒng,
kěshì hòulái tāde Měiguó péngyou tiāntiān hé
tā shuō Yīngwén, hái jiāo ta zěnme xiě
bàogào. Xiànzài tā Yīngwén dōu tīngdedǒng,
kàndedǒng.　Tāde chéngjī fēicháng hǎo,
kǎoshì bú shì dé A, jiù shì dé B.

Reading Tasks for Pleasure

Task One   Are these good students?

The following section includes the report cards of two students in Taiwan.
Read the report cards and see what grade levels they are in and whether or not they are good students.

上海市立第一小学成绩通知单

九十九学年度第一学期　　　班级：506　座号：15　姓名：王小英

必	修						课		
项目＼科目	语文	数学	社会	自然	劳动	卫生	平均		
定期考查	100	96	96	92	98	94	96		

兴	趣		课		联 络 事 项
项目＼科目	田径	音乐	美术	计算机	
定期考查	90	95	88	96	

主任评语	认真好学，热心助人。

主任：王美音　　　（签章）

6

上海市立第一中学成绩通知单

九十九学年度第一学期　　　班级：206　座号：15　姓名：马大明

必	修									课
项目＼科目	语文	外语	数学	政治	心理	物理	化学	生物	卫生	保健	平均
定期考查	95	90	93	96	96	94	83	90	89	91	91.7
日常考查	93	92	90	95	92	91	87	88	90	97	91.5

选	修		课		联 络 事 项
项目＼科目	劳动	音乐	美术	计算机	手工工艺	
定期考查	88	93	85	95	92	
日常考查	90	95	88	92	96	

附记	1.本表于每次定期考后，由教务处统一交给老师盖章签注联络事项后转发。 2.成绩如有错误请于87年12月23日前洽教务处办理更正，逾期恕不受理。

老师：张学文　（签章）

中国故事 Zhōngguó Gùshi

笑话 xiàohua

故事 gùshi

小说 xiǎoshuō

花木兰
Huā Mùlán

古代英雄
gǔdài yīngxióng

卡通
kǎtōng

6

More New Words

被	bèi	by	借	jiè	to borrow; to lend	
还给	huán gěi	to return to	录像带	lùxiàngdài	a video tape	
书架	shūjià	a bookshelf	盒	hé	measure word for video tapes	
信箱	xìnxiāng	a mailbox	不急	bù jí	not in a hurry	

无论…，还是… wúlùn..., háishì... no matter..., or...

Building Blocks

A.

说话	shuōhuà	talk
说笑话	shuō xiàohua	tell _____
小说	xiǎoshuō	novel
古代小说	gǔdài xiǎoshuō	ancient _____

B.

把书借给他	bǎ shū jiè gěi tā	_____ the book to him
把书还给他	bǎ shū huán gěi tā	_____ the book to him
把书卖给他	bǎ shū mài gěi tā	_____ the book to him
把书送给他	bǎ shū sòng gěi tā	_____ the book to him
把书拿给他	bǎ shū ná gěi tā	_____ the book to him
把书送到他家	bǎ shū sòngdào tā jiā	_____ the book to his home
把书拿到他家	bǎ shū nádào tā jiā	_____ the book to his home
把书放在桌子上	bǎ shū fàng zài zhuōzi shàng	_____ the book on the table
把书放在书架上	bǎ shū fàng zài shūjià shàng	_____ the book on the bookshelf

6

Key Structures

1. **jiè**

Tā jiè gěi wǒ yí liàng qìchē.
Wǒ zài túshūguǎn jiè le liǎng běn Zhōngwén shū.

借

He lent me a car.
I borrowed two Chinese books from the library.

2. **... bǎ ... + verb + gěi ...**

Wǒ zuótiān bǎ qián jiè gěi tā le.
Tā míngtiān huì bǎ qián huán gěi wǒ.

···把··· + verb + 给···

I lent the money to him yesterday.
He will return the money to me tomorrow.

3. **... bǎ ... + fàng zài ... shàng**

Qǐng bǎ shū fàng zài zhuōzi shàng.
Bié bǎ shū fàng zài yǐzi shàng.

···把···+放在···上

Please put the book on the desk.
Do not put the book on the chair.

4. **... bǎ ... + fàng zài ... lǐ**

Wǒ huì bǎ xìn fàng zài nǐde xìnxiāng lǐ.
Wǒ bǎ xìn fàng zài nǐde xìnxiāng lǐ le.

···把···+放在···里

I will put the letter in your mailbox.
I put the letter in your mailbox.

5. **... bǎ ... jiè zǒu le / jiè lái le.**

Tā bǎ wǒde qìchē jiè zǒu le.
Wǒ bǎ shū jiè lái le.

···把···借走了／借来了。

He borrowed my car (so it is gone).
I borrowed the book (and it is here).

6. **... bèi ...**

Tā bèi tā māma mà le.
Tā bèi mà le.
Shū dōu bèi xuésheng jiè zǒu le.
Shū dōu bèi jiè zǒu le.

···被···

He was told off by his mom.
He was told off.
Books were all checked out by students.
Books were all checked out.

7. **Wúlùn shì ..., háishì ...**
   Búlùn shì ..., háishì ...

Wúlùn shì lǎoshī, háishì xiàozhǎng, dàjiā dōu xǐhuān Xiǎo Wáng.
Búlùn shì xiàtiān, háishì dōngtiān, tā měi tiān dōu pǎobù.

无论是···，还是···
不论是···，还是···

No matter if it is teachers or the principal, everyone likes Little Wang.
No matter it is in summer or winter, he runs every day.

8. **... gāng ...**

Tā lái le méiyǒu?
Tā gāng lái.

···刚···

Has he come?
He has just come.

Let's Talk

1. **We just learned this character.**

   A: Wáng lǎoshī zǒu le méiyǒu?   B: Tā gāng zǒu.
   A: Tā shì shénme shíhòu zǒu de?   B: Chàbuduō wǔ fēnzhōng yǐqián.

   Create conversations based on the following situations:
   1. A asks B if C has come. B tells A that C just came half an hour ago.
   2. Mom asks her son if he has finished his homework.
      The son tells mom that he just finished his homework ten minutes ago.

2. **Where is my book?**

   A: Wǒde shū ne? Wǒde shū bèi shéi   B: Nǐ mèimei bǎ nǐde shū ná zǒu le.
   ná zǒu le?
   A: Nǐ zěnme zhīdào tā bǎ wǒde shū   B: Wǒ kànjiàn tā zài kàn nǐde shū.
   ná zǒu le?
   A: Wǒ qù wèn tā.

   Create conversations based on the following situations:
   1. A cannot find his pen. B saw C using A's pen.
   2. A wants to borrow a copy of the Chinese Joke Stories. B told A that C has
      checked out that book because B saw C was reading that book.

3. **Please put....**

   A: Qǐng bǎ shū fàng zài shūjià shàng.   B: Něi ge shūjià? Zhèi ge ma?
   A: Bú shì. Qǐng fàng zài yòubiān de
   shūjià shàng.

   Talk with your friend, pretending one of you is helping the other put things in order in the room.
   Tell your friends where you want him/her to put the table, desks, chairs, books and pens.

4. **Have you read...?**

   A: Nǐ kànguò "Jiā" méiyǒu?   B: "Jiā" shì shénme shū?
   A: "Jiā" shì yì běn Zhōngguó xiǎoshuō.   B: Hǎokàn bùhǎokàn?
   A: Hěn búcuò. Wǒ yǒu yì běn.   B: Wǒ hěn xiǎng kàn zhèi běn shū,
   Nǐ yào búyào jiè qù kànkan?   kěshì nǐ yào wǒ mǎshàng jiù
   huán gěi nǐ ma?
   A: Bù jí. Nǐ kànwán yǐhòu zài huán   B: Hǎo jí le.
   gěi wǒ ba!

   Following the above model, create conversations based on the following situations:
   1. A and B are talking about a novel.
   2. A and B are talking about a video tape.

6

Readings

--- 我想借一本《中国笑话故事》。

--- 英文的《中国笑话故事》都被借走了。我们只有书架上那本中文的。

--- 没问题！我看得懂中文。

--- 我刚把《家》放在你的信箱里。谢谢你借书给我！

--- 不客气。我还有一盒《家》的录像带。你要不要借去看看？

--- 好啊！

--- 请你一看完就还给我。小王也想看。

花木兰是中国古代的一个女英雄。在中国无论是大人，还是小孩，都知道花木兰的故事。现在很多美国孩子也看了《木兰》的卡通电影。他们都很喜欢木兰。

--- Wǒ xiǎng jiè yì běn "Zhōngguó xiàohua gùshi".

--- Yīngwén de "Zhōngguó xiàohua gùshì" dōu bèi jiè zǒu le. Wǒmen zhǐ yǒu shūjià shàng nèi běn Zhōngwén de.

--- Méi wèntí! Wǒ kàndedǒng Zhōngwén.

--- Wǒ gāng bǎ "Jiā" fàng zài nǐde xìnxiāng lǐ. Xièxie nǐ jiè shū gěi wǒ!

--- Bú kèqì. Wǒ háiyǒu yì hé "Jiā" de lùxiàngdài. Nǐ yào búyào jiè qù kànkan?

--- Hǎo a!

--- Qǐng nǐ yí kànwán jiù huán gěi wǒ. Xiǎo Wáng yě xiǎng kàn.

Huā Mùlán shì Zhōngguó gǔdài de yí ge nǚ yīngxióng. Zài Zhōngguó wúlùn shì dàrén, háishì xiǎohái, dōu zhīdào Huā Mùlán de gùshi. Xiànzài hěn duō Měiguó háizi yě kàn le "Mùlán" de kǎtōng diànyǐng. Tāmen dōu hěn xǐhuān Mùlán.

Reading Tasks for Pleasure

Task One   Famous Chinese Novels

西游记
Xī Yóu Jì
Journey to the West

红楼梦
Hónglóu Mèng
Dream of the Red Chamber

水浒传
Shuǐhǔ Zhuàn
All Men Are Brothers

三国演义
Sān Guó Yǎnyì
The Three Kingdoms

6

中国上海
北京西路1030弄47号

林中明先生 收

航空 美国 NJ 州 Princeton 1 号公路 271 号 张国东寄

收 shōu
寄 jì
航空 hángkōng

亲爱的林中明先生：

　你的来信我收到了。
你寄给我的生日礼物也收
到了。你的礼物是我收到
的生日礼物中最好的。非
常感谢！祝

愉快

张国东
六月十八号

亲爱的 qīn'ài de
来信 láixìn
收到 shōudào
寄给 jì gěi
非常 fēicháng
感谢 gǎnxiè
祝 zhù
愉快 yúkuài

6

More New Words

剪纸	jiǎnzhǐ	paper cut		第二册	dì èr cè	Book 2
以为	yǐwéi	thought (as a verb)		继续	jìxù	continue
急忙	jímáng	in a hurry		复习	fùxí	review
参加	cānjiā	join		地	de	adverbial particle, ~ly
顺利	shùnlì	smooth				

Building Blocks

A.

寄信	jìxìn	mail _____
寄来	jì lái	mail _____
寄去	jì qù	mail _____
寄给	jì gěi	mail _____

B.

信	xìn	letter
航空信	hángkōngxìn	_____ letter
写信	xiě xìn	_____ letter
写信给	xiě xìn gěi	_____ letter____
寄信	jìxìn	_____ letter
寄信给	jìxìn gěi	_____ letter____
来信	láixìn	_____ letter
回信	huíxìn	_____ letter
寄信	jìxìn	_____ letter
收信	shōuxìn	_____ letter
收到一封信	shōudào yì fēng xìn	_____ letter

6

Key Structures

1. **... + de + noun**

    Zhè shì nǐde xìn.
    Zhè shì yì fēng hěn zhòngyào de xìn.
    Yòubiān de xìn shì nǐde.
    Zhuōzi shàng de xìn shì tāde.

    ... + 的 + noun

    This is your letter.
    This is an important letter.
    The letter on the right is yours.
    The letter on the table is his.

2. **verb + de + noun**

    Xué Zhōngwén de xuésheng dōu zài zhèr.

    verb + 的 + noun

    The students who are learning Chinese are all here.

3. **subject + verb + de + noun**

    Nǐ yào de shū zài zhèr.
    Zhè shì tā jì gěi nǐ de xìn.
    Nǐ zuótiān mǎi de shū zài nǎr?

    subject + verb + 的 + noun

    The book you want is here.
    This is the letter he sent you.
    Where is the book you bought yesterday?

4. **... verb + de + manner**

    Tā xiě Zhōngwén xiě de zěnmeyàng?
    Tā xiě Zhōngwén xiě de hěn hǎo.

    ... verb + 得 + manner

    How does he write Chinese?
    He writes Chinese very well.

5. **... manner + de + verb**

    Tā gāoxìn de shuō, "Hǎo!"
    Tā gāogāoxìngxìng de huíjiā le.

    ... manner + 地 + verb

    He said happily, "Good!"
    He went home happily.

6. **Méiyǒu ... bù ...**

    Méiyǒu xuésheng bù xǐhuān nèi ge lǎoshī.
    Méiyǒu xuésheng bù xiǎng wán.

    没有···不···

    Every student likes that teacher.
    Every student loves to have fun.

7. **Hái méiyǒu + ... yǐqián, ...**

    Hái méiyǒu qù Zhōngguó yǐqián, tā jiù huì shuō Zhōngwén le.

    还没有+···以前，···

    Before going to China, he could already speak Chinese.

8. **Wúlùn ... dōu ...**

    Wúlùn wǒ shuō shénme, tā dōu bù tīng.
    Wúlùn shéi qù dōu kěyǐ.

    无论···都···

    No matter what I said, he would not listen.
    No matter who goes, it is fine.

Let's Talk

1. **Where is the gift that he gave you?** (using: 的)

   A: Tā sòng gěi nǐ de lǐwù zài nǎr?　　B: Tā sòng gěi wǒ de lǐwù zài zhèr.

   > Using the above pattern, ask your partner:
   >> 1. Where the book he/she borrowed last week is;
   >> 2. Where the letter he/she received yesterday is.

2. **What do you think of...?** (using: 得)

   A: Nǐ juéde nèi ge xuésheng chàng　　B: Wǒ juéde tā chàng de hǎo jí le.
   de zěnmeyàng?

   > Ask your friend: 1. What he/she thinks about someone's writing;
   >> 2. What he/she thinks about someone's dancing.

3. **Where is Little Wang?** (using: 地)

   A: Xiǎo Wáng qù nǎr le?　　B: Xiàkè yǐhòu, tā jíjímángmáng de huíjiā le.
   A: Wèishénme?　　B: Tā māma dǎdiànhuà lái, yào tā mǎshàng huí qù.

   The teacher walks into her classroom and find only one student there. The teacher asks this student where everyone is and learns that the other students went to the sports field happily because they thought that there was no class.

4. **Thank you for your gift.**

   A: Xiǎo Wáng, zhè shì wǒ gěi nǐ de shēngrì lǐwù.　　B: O, fēicháng gǎnxiè!

   Imagine that your partner gives you a birthday gift. Thank your partner and tell him/her how much you like the gift.

5. **This is your letter.**

   A: Xiǎo Wáng, nǐde xìn.　　B: Shì shéi jì lái de?
   A: Shì nǐde Zhōngguó péngyou jì lái de.　　B: Zhēn de? Xièxie!

   Tell your partner that there is a phone call for him/her. It is from his/her mother.

6. **Have you received my letter?**

   A: Xiǎo Wáng, nǐ shōudào wǒde　　B: Hái méiyǒu. Nǐ shì shénme shíhòu jì
   xìn le méiyǒu?　　de?
   A: Zuótiān.　　B: Wǒ xiǎng wǒ míngtiān cái néng shōudào.

   Ask your friend if he/she has received the gift you mailed him/her.

6

Readings

方明：

　　你寄来的信和剪纸，我都收到了。我的朋友看到你送给我的剪纸，没有人不喜欢。非常感谢你！

　　我已经学完《远东少年中文》第二册了。还没学中文以前，我以为中文很难。现在我觉得中文并不难，而且越学越喜欢。明年我一定要继续学中文。

　　快要考试了。我天天一下课，就急急忙忙地回家复习功课，无论什么活动都不参加。去年我的考试成绩不太好。今年我希望我能考好一点儿。

　　我想你一定也很忙吧？考完试以后，我再写信给你。祝

考试顺利

　　　　　　　　　　　　　　你的美国朋友John

　　　　　　　　　　　　　　一九九八年六月十日

Fāng Míng:
　　Nǐ jì lái de xìn hé jiǎnzhǐ, wǒ dōu shōudào le. Wǒde péngyou kàndào nǐ sòng gěi wǒ de jiǎnzhǐ, méiyǒu rén bù xǐhuān. Fēicháng gǎnxiè nǐ!
　　Wǒ yǐjīng xuéwán "Yuǎndōng Shàonián Zhōngwén" dì èr cè le. Hái méi xué Zhōngwén yǐqián, wǒ yǐwéi Zhōngwén hěn nán. Xiànzài wǒ juéde Zhōngwén bìng bù nán, érqiě yuè xué yuè xǐhuān. Míngnián wǒ yídìng yào jìxù xué Zhōngwén.
　　Kuàiyào kǎoshì le. Wǒ tiāntiān yí xiàkè jiù jíjímángmáng de huíjiā fùxí gōngkè, wúlùn shénme huódòng dōu bù cānjiā. Qùnián wǒde kǎoshì chéngjī bú tài hǎo. Jīnnián wǒ xīwàng wǒ néng kǎo hǎo yìdiǎnr.
　　Wǒ xiǎng nǐ yídìng yě hěn máng ba? Kǎowán shì yǐhòu, wǒ zài xiě xìn gěi nǐ. Zhù

Kǎoshì shùnlì

　　　　　　　　　　　　　　Nǐde Měiguó péngyou **John**
　　　　　　　　　　　　　　yī jiǔ jiǔ bā nián liù yuè shí rì

An End-of-Year Project: All about Me

Congratulations! You have finished learning *Far East Chinese for Youth* Level 2. For review, we will do an individual project—creating a book with the theme: All about Me.

You might choose to address some of the topics listed below. Be creative and try to have your book reflect your success in learning Chinese.

Suggested topics:

General information about yourself:
> your name, age, appearance

Information about the place where you live:
> home address, location
> surroundings, your house, your room

Information about your school:
> school name, location, facilities, your opinion of your school

Information about the activities you do:
> sports you do
> seasonal activities you like to do
> family trips

Information about school subjects:
> the subjects you have learned, are learning, and will learn
> your opinion of each subject
> your favorite subject

Information about your Chinese studies:
> When did you start learning Chinese?
> What did you think about learning Chinese before you started?
> What do you think about learning Chinese now?
> Why do you want to study Chinese?
> How long have you studied Chinese?
> How many Chinese students are there in your class and in your school?
> Who is your Chinese teacher?
> What do you think of your Chinese teacher?
> Can you understand, speak, read and write Chinese?
> How many characters have you learned?
> What field trips has your Chinese class taken?
> Have you ever been to a Chinatown?
> What did you see there? What did you do there?
> How do you plan to continue studying Chinese?

6

New Words in Unit Six

Lesson 16

guàn	habitual
chīdeguàn	be used to eating
chībuguàn	be not used to eating
dǒng	understand
tīngdedǒng	
	understand by listening
tīngbudǒng	
	do not understand by listening
... wán	finish doing...
... hǎo	finish doing...
zuòdewán	be able to finish
zuòbuwán	be not able to finish
shēng	raw
shēngcài	raw vegetable
shēngshuǐ	water without
	being boiled
rè shuǐ	hot water
kǎo	give or take an
	exam
kǎoshì	examination
chéngjī	grades; scores
bàogào	report
wèntí	question; problem
jùzi	sentence
ge	M.W. for sentences
gāng	just now
bú shì..., jiù shì...	if not..., then...

Lesson 17

gùshi	story
xiǎoshuō	novel
xiàohua	joke
kǎtōng	cartoon
shuōhuà	speak; talk
shuō xiàohua	tell a joke
gǔdài	ancient
Huā Mùlán	Hua Mulan
yīngxióng	hero
jiè	borrow
jiè gěi	lend
huán	return
huán gěi	return to
shūjià	bookshelf
xìnxiāng	mailbox
lùxiàngdài	video tape
hé	M.W. for video
	tapes
jí	urgent
bù jí	not in a hurry
wúlùn..., háishì...	no matter... or...
búlùn..., háishì...	no matter... or...
bèi	by
bǎ... jiè gěi...	lend... to...
bǎ... fàng zài... lǐ	put... in...
bǎ... jiè zǒu	borrow... (and take it away)
bǎ... jiè lái	borrow... (and bring it here)

Lesson 18

bǐyǒu	pen pal
jì	send
shōu	receive
jì lái	mail... (here)
jì qù	mail... (to somewhere)
jìxìn	mail a letter
shōuxìn	receive a letter
jìxìn gěi	send a letter to...
shōudào	receive
láixìn	incoming letter
huíxìn	write in reply
hángkōng	aviation
hángkōngxìn	air mail
gǎnxiè	thank
gǎnxièxìn	thank-you letter
qīn'ài de	dear
yúkuài	happy
zhù	wish (someone happy...)
jìxù	continue
cānjiā	join
fùxí	review
jímáng	in a hurry
yǐwéi	thought (as a verb)
jiǎn	cut
jiǎnzhǐ	paper cut
cè	book volume
dì èr cè	Book 2
wúlùn... dōu...	no matter
méiyǒu... bù...	double negative to indicate strong positive meaning
hái méiyǒu... yǐqián	before doing...
shùnlì	smooth

6

Vocabulary List
(Pinyin – English)

(* 3-1 = Unit 3 Lesson 1; M.W. = measure word)

ài	爱	to love	5-13
ānjìng	安静	quiet	2-4
bǎ	把	M.W. for chairs	2-5
bǎ... fàng zài... lǐ	把…放在…里	to put... in...	6-17
bǎ... fàng zài... shàng	把…放在…上	to put... on...	4-10
bǎ... gěi...	把…给…	to give...	4-10
bǎ... jiè gěi...	把…借给…	to lend... to...	6-17
bǎ... jiè lái	把…借来	to borrow... (and bring it here)	6-17
bǎ... jiè zǒu	把…借走	to borrow... (and take it away)	6-17
bǎ... nádào... lái	把…拿到…来	to bring... to...	4-10
bǎ... nádào... qù	把…拿到…去	to take... to...	4-10
bǎ... tiē zài...	把…贴在…	to paste... on...	4-10
bǎ... yī...	把…一…	"ba" construction	5-15
báitiān	白天	daytime	3-8
bān	班	a class	3-7
bān	搬	to move	5-14
bānjiā	搬家	to move (residence)	5-14
bàn	半	half	3-8
bàn ge yuè	半个月	half a month	3-8
bàn nián	半年	half a year	3-8
bàn tiān	半天	half a day	3-8
bànyè	半夜	midnight	3-8
bàngōngshì	办公室	an office	5-13
bāng	帮	to help	4-10
bāo	包	a bag, M.W. for bags of tea	2-6
bàogào	报告	a report	6-16
běi	北	north	1-1
Běijīng	北京	Beijing	1-1
Běijīng Lù	北京路	Beijing Road	1-3
bēi	杯	a cup, M.W. for water or tea	2-6
bèi	被	by	6-17
běnlái	本来	originally	4-12

bǐyǒu	笔友	a pen pal	6-18
biānpào	鞭炮	firecrackers	4-10
bié	别	don't... (imperative)	3-7
biéde	别的	other; else	5-14
bīng shuǐ	冰水	ice water	2-6
bìng	病	to fall ill or sick	5-15
bìng bù	并不	not... at all	3-9
búdàn... érqiě...	不但…而且…	not only..., but also...	2-5
búlùn..., háishì...	不论…，还是…	no matter... or...	6-17
bú shì..., jiù shì...	不是…，就是…	if not..., then...	6-16
bú sòng	不送	to stay here please	2-6
bù jí	不急	not in a hurry	6-17
bù yídìng	不一定	not sure	4-12
bù	布	cloth	1-2
bù xié	布鞋	cloth shoes	1-2
cái	才	as late as (later than expected)	5-15
cān	餐	a meal	3-9
cānjiā	参加	to join	6-18
cǎo	草	grass	2-5
cǎodì	草地	lawn	2-5
cè	册	a volume	6-18
cèsuǒ	厕所	a toilet, a rest room	2-5
chàbuduō	差不多	nearly the same	3-7
chǎng	场	a level open space	5-13
Chángchéng	长城	Great Wall	1-1
Chángjiāng	长江	Yangtze River	3-9
chēfáng	车房	a garage	2-5
chéng	城	a city	2-4
chéng lǐ	城里	in the city	2-4
chéngshì	城市	a city	1-1
chéng wài	城外	out of the city	2-4
chéngjī	成绩	grades; scores	6-16
chí	池	a pool	5-13
chībuguàn	吃不惯	to be not used to eating	6-16
chīdeguàn	吃得惯	to be used to eating	6-16
chídào	迟到	late	5-15

chū	出	to go or come out	1-3
chū lái	出来	to come out	3-8
chū qù	出去	to go out	3-7
chúfáng	厨房	a kitchen	2-5
chúle... yǐwài	除了…以外	except for...; besides	5-14
chuānshàng	穿上	to put on	4-10
chuán	船	a boat	3-9
chuáng	床	a bed	2-5
chuī	吹	to blow	3-8
chūn	春	spring	3-8
chūnjià	春假	a spring vacation	4-11
Chūnjié	春节	Chinese New Year	4-10
chūnlián	春联	New Year couplets	4-10
cóng... dào... lái	从…到…来	from... come to...	4-11
cóng... dào... qù	从…到…去	from... go to...	4-11
cónglái	从来	at all time	1-1
cónglái bù...	从来不…	never...	2-4
cónglái méi... guò	从来没…过	to have never done...	1-1
dǎdiànhuà gěi	打电话给	to call someone	2-6
dǎléi	打雷	to thunder	3-7
dǎsuàn	打算	to plan; a plan	4-11
Dàniányè	大年夜	Chinese New Year's Eve	4-10
Dàqián Jiē	大前街	Daqian Street	1-3
dào... yǐqián	到…以前	before getting to...	4-12
... de bú duì	…得不对	to do... incorrectly	4-11
... de duì	…得对	to do... correctly	4-11
... de bùdéliǎo	…得不得了	it's very...	3-7
... de shíhòu	…的时候	when...	4-12
děng	等	to wait	2-6
dì jǐ jié kè	第几节课	which class period	5-15
dì èr cè	第二册	Book 2	6-18
dì èr jié kè	第二节课	the 2nd class period	5-15
dì yī	第一	first	1-1
Dì Yī Zhōngxué	第一中学	No.1 Middle School	5-13
dìfāng	地方	a place	1-1
dìlǐ	地理	geography	5-14

dìxiàshì	地下室	a basement	2-5
dìzhǐ	地址	an address	2-4
diàn	店	a store; a shop	2-4
diànlǐ	店里	at store	2-4
diànnǎoshì	电脑室	a computer room	5-13
diànshìjī	电视机	a TV set	5-13
diànyǐngyuàn	电影院	a cinema	1-2
dōng	东	east	1-1
dōngběi	东北	northeast	1-1
dōngfāng	东方	in the east of...; eastern; oriental	1-1
dōngnán	东南	southeast	1-1
dōng	冬	winter	3-8
dǒng	懂	to understand	6-16
dòng	栋	M.W. for houses	2-5
dùjià	度假	to have a vacation	4-11
duī	堆	to pile up	3-9
duī xuěrén	堆雪人	to make a snowman	3-9
duìmiàn	对面	opposite	1-3
duì... yǒu xìngqù	对…有兴趣	to be interested in...	5-14
duō chī yìdiǎnr	多吃一点儿	to eat more	2-6
duōjiǔ	多久	how long	4-11
duōyún	多云	cloudy	3-7
dúshū	读书	to study	3-9
érqiě	而且	in addition	2-4
èr lóu	二楼	the 2nd floor	2-6
fàndiàn	饭店	a restaurant; a hotel	1-2
fànguǎn	饭馆	a restaurant	1-2
fàntīng	饭厅	a dining room	2-5
fāngbiàn	方便	convenient	2-4
fáng	房	a room; a house	2-5
fángjiān	房间	a room	2-5
fángzi	房子	a house	2-5
fǎngyǒu	访友	to visit friends	2-6
fàng	放	to put; to let go	3-9
fàng biānpào	放鞭炮	to play firecrackers	4-10
fàng fēngzhēng	放风筝	to fly a kite	3-9

fēi	飞	to fly	3-9
fēijī	飞机	a plane	4-11
fēi zǒu	飞走	to fly away	3-9
fēicháng	非常	very	3-7
fēng	封	M.W. for letters	2-4
fēng	风	wind	3-7
fēngzhēng	风筝	a kite	3-9
fùjìn	附近	nearby; vicinity	5-13
fùxí	复习	to review	6-18
fúzhuāng	服装	clothing	1-2
fúzhuāngdiàn	服装店	a clothing store	1-2
gāng	刚	just now	6-16
gǎnxiè	感谢	to thank	6-18
gǎnxièxìn	感谢信	a thank-you letter	6-18
gàosu	告诉	to tell	2-6
ge	个	M.W. for rooms or sentences	2-5 6-16
gěi... bàinián	给…拜年	to wish... a Happy New Year	4-10
gèng	更	even more	2-5
gōng	宫	a palace	4-12
gōngkè	功课	an assignment	5-15
gōngsī	公司	a company	1-2
gōngxǐ	恭喜	congratulations	4-10
gōngyuán	公园	a park	3-9
gōngzuò	工作	a work	1-3
gòuwù zhōngxīn	购物中心	a shopping center	1-3
guāfēng	刮风	windy	3-7
guǎn	馆	a place for store, guests or cultural activities	2-4
guàn	惯	habitual	6-16
gǔdài	古代	ancient	6-17
Gùgōng	故宫	Palace Museum	4-12
guò shēngrì	过生日	to celebrate one's birthday	4-12
guójiā	国家	a country	1-1
guó wài	国外	abroad	2-4
gùshi	故事	a story	6-17

hái méiyǒu... yǐqián	还没有…以前	before doing...	6-18
hǎi	海	a sea	3-9
hǎibiān	海边	seashore	3-9
hánjià	寒假	a winter vacation	4-11
hángkōng	航空	aviation	6-18
hángkōngxìn	航空信	an air mail	6-18
... hǎo	…好	to finish doing...	6-16
hé	河	a river	3-9
hé	盒	M.W. for video tapes	6-17
hóngbāo	红包	a luck money envelope	4-10
hónglǜdēng	红绿灯	a traffic light	1-3
hòu	后	back	1-3
hòulái	后来	afterwards; later	4-12
hú	湖	a lake	3-9
Huā Mùlán	花木兰	Hua Mulan	6-17
huáchuán	划船	to row a boat	3-9
Huáshèngdùn	华盛顿	Washington, D.C.	1-1
huàxué	化学	chemistry	5-14
huán	还	to return	6-17
huán gěi	还给	to return to...	6-17
huàn	换	to exchange	5-15
huāyuán	花园	a garden	2-5
huí lái	回来	to come back	4-12
huíxìn	回信	to write in reply	6-18
huódòng	活动	an activity	3-9
huǒhóng sè	火红色	fire-red color	3-8
huòzhě	或者	or (for statements)	2-6
jí	急	urgent	6-17
jímáng	急忙	in a hurry	6-18
jǐ jié kè	几节课	how many class periods	5-15
jǐ lóu	几楼	which floor	2-6
jìjié	季节	a season	3-8
jì	寄	to send	6-18
jì lái	寄来	to mail... (here)	6-18
jì qù	寄去	to mail... (to somewhere)	6-18
jìxìn	寄信	to mail a letter	6-18

jìxìn gěi	寄信给	to send a letter to...	6-18
jìxù	继续	to continue	6-18
jiālǐ	家里	at home	2-4
jià	假	a vacation; a holiday	4-11
jiǎn	剪	to cut	6-18
jiǎnzhǐ	剪纸	paper cut	6-18
jiàn	件	M.W. for gifts or objects	4-12
jiāowài	郊外	suburb	3-9
jiàoshì	教室	a classroom	5-13
jiē	街	a street	1-3
jié	节	M.W. for class periods	5-15
jiè	借	to borrow	6-17
jiè gěi	借给	to lend...	6-17
jīnhuáng sè	金黄色	golden color	3-8
jìn	进	to enter	2-6
jìn lái	进来	to come in	3-8
jìn qù	进去	to go in	3-8
jīngcháng	经常	often	5-13
jiǔ	久	for a long time	4-11
jiù	就	as early as (earlier than expected)	3-9
jiù shì	就是	exactly is	4-11
Jiùjīnshān	旧金山	San Francisco	1-2
jùzi	句子	a sentence	6-16
kāfēi	咖啡	coffee	1-2
kāfēiguǎn	咖啡馆	a cafe	1-2
kǎtōng	卡通	cartoon	6-17
kāi	开	to drive	1-3
kāishǐ	开始	to begin	5-15
kāiwánxiào	开玩笑	to joke	3-7
kāixué	开学	school starts	4-11
kàn	看	to look; to watch; to read	2-6
kànbudǒng	看不懂	do not understand by reading	5-14
kàndedǒng	看得懂	to understand by reading	5-14
kěxī	可惜	a pity	5-14
kè	课	a period; a lesson	5-15
kèbiǎo	课表	a class schedule	5-15

kètīng	客厅	a living room	2-5
Kǒngmiào	孔庙	Confucius Temple	1-2
...kuài... le	…快…了	it will... soon	4-11
láixìn	来信	an incoming letter	6-18
lǎoshì	老是	always	5-15
léi	雷	a thunder	3-7
lèi	累	tired	5-15
lěng	冷	cold	3-7
lí	离	to be away from; to leave	1-1
lǐ	里	inside	2-4
lǐpǐn	礼品	a gift	1-2
lǐpǐndiàn	礼品店	a gift store	1-2
lǐwù	礼物	a gift; a present	4-12
lìshǐ	历史	history	5-14
lián... yě...	连…也…	even	5-13
liángkuài	凉快	cool; chilly	3-7
liǎng jié kè	两节课	two class periods	5-15
liàng	亮	bright	2-5
liūbīng	溜冰	to skate	3-9
lóng	龙	a dragon	4-10
lòng	弄	a lane; an alley	2-6
lóu	楼	a building; a floor	2-5
lóu shàng	楼上	upstairs	2-5
lóu xià	楼下	downstairs	2-5
lù	路	a road	1-3
lùkǒu	路口	a crossing; an intersection	1-3
lùxiàngdài	录像带	a video tape	6-17
lǚguǎn	旅馆	a hotel	4-12
lǚxíng	旅行	to travel	4-12
luàn	乱	messy	2-5
Lúndūn	伦敦	London	1-1
luòxiàlái	落下来	to fall down	3-8
mǎshàng	马上	immediately	2-6
mài gěi	卖给	to sell to...	2-4
máng	忙	busy	4-10
... méiyǒu...	…没有…	not as... as...	1-1

méiyǒu... bù...	没有…不…	double negative to indicate strong positive meaning	6-18
méiyǒu kè	没有课	to have no class	5-15
méi xuéhuì	没学会	to have not learned	3-9
měi jié kè	每节课	each class period	5-15
měilì	美丽	beautiful	3-8
měishù	美术	art	5-14
Měizhōu	美洲	America (the continent)	1-1
mén	门	a gate; a door	1-3
mén wài	门外	outside the door	2-4
ná	拿	to hold; to take	4-10
nǎ xiē; něixiē	哪些	which (for plural)	4-10
nǎ / něi jié kè	哪节课	which class period	5-15
nà xiē; nèixiē	那些	those	4-10
nán	南	south	1-1
nán cèsuǒ	男厕所	a men's room	5-13
Nánjīng	南京	Nanjing	1-1
nào	闹	noisy	2-4
nǎo	脑	a brain	5-13
Nián chūyī	年初一	Chinese New Year's Day	4-10
niányèfàn	年夜饭	the dinner on the Eve of the Chinese New Year	4-10
Niǔyuē	纽约	New York	1-2
nǚ cèsuǒ	女厕所	a women's room	5-13
nǚ'ér	女儿	a daughter	5-13
nuǎnhuo	暖和	warm	3-7
Ōuzhōu	欧洲	Europe	1-1
pá	爬	to climb; to crawl	3-9
páshān	爬山	to climb a mountain	3-9
pà	怕	to fear	3-7
pāi	拍	to clap; to pat	4-12
pāi zhàopiàn	拍照片	to take a picture	4-12
pángbiān	旁边	beside; next to...	1-3
piàn	片	M.W. for leaves	3-8
piàoliàng	漂亮	pretty; beautiful	2-4
qián	前	front	1-3

qiánbiān	前边	in the front	1-3
qīn'ài de	亲爱的	dear	6-18
qīngchǔ	清楚	clearly	5-14
qíngtiān	晴天	a fine day	3-7
qiū	秋	autumn	3-8
qù… lǚxíng	去…旅行	to make a trip to...	4-12
quán	全	whole	4-10
ránhòu	然后	then	4-11
rè	热	hot	3-7
rénkǒu	人口	population	1-1
rénmín	人民	people	1-3
rèqíng	热情	warm (personality); hospitable	2-6
rè shuǐ	热水	hot water	6-16
shān shàng	山上	on the mountain	2-4
shān xià	山下	at the foot of a mountain	2-4
shàng	上	top	2-4
shàngbān	上班	to go to work	2-4
shàng jié kè	上节课	last class period	5-15
shàngkè	上课	time for class	5-15
shàngkè de shíhòu	上课的时候	during class	4-12
shàng lái	上来	to come up	3-8
shàng qù	上去	to go up	3-8
shàngyǎn	上演	(movie) to be on	1-3
shǎoyún	少云	a fine day; cloudless	3-7
shēng	生	raw	6-16
shēngcài	生菜	raw vegetable	6-16
shēngshuǐ	生水	water without being boiled	6-16
shénme dìfāng	什么地方	where	1-1
shī	狮	a lion	4-10
shípǐn	食品	food	1-2
shípǐn gōngsī	食品公司	a grocery store	1-2
shítáng	食堂	a cafeteria	5-13
shì	室	a room; an apartment	2-5 2-6
shìjiè	世界	a world	1-1
shìjiè dìtú	世界地图	a world map	1-1

shōu	收	to receive	6-18
shōudào	收到	to receive	6-18
shōuxìn	收信	to receive a letter	6-18
shǒu	手	a hand	2-5
shǒudū	首都	a national capital	1-1
shūjià	书架	a bookshelf	6-17
shùlín	树林	woods	2-5
shuāng	双	M.W. for shoes	1-2
shùnlì	顺利	smooth	6-18
shuōde qīngchǔ	说得清楚	to be able to say clearly	5-14
shuōhuà	说话	to speak; to talk	6-17
shuō xiàohua	说笑话	to tell a joke	6-17
shùxué	数学	mathematics	5-14
shùyè	树叶	a leaf	3-8
sǐ	死	to die	5-15
... sǐ le	…死了	extremely...	3-7
sìjì	四季	four seasons	3-8
sòng	送	to see... off; to take someone to...	2-6
sòng gěi	送给	to give to... (as a gift)	1-2
suīrán..., kěshì...	虽然…，可是…	although..., (but)...	2-5
tàiyáng	太阳	sun	3-7
táng	糖	a candy	2-6
tiānqì	天气	weather	3-7
tián	田	field	2-4
tiē	贴	to stick; to paste	4-10
tīng	厅	a main room of a house	2-5
tīngbudǒng	听不懂	do not understand by listening	6-16
tīngdedǒng	听得懂	to understand by listening	6-16
tíng	停	to stop	5-13
tíngchēchǎng	停车场	a parking lot	5-13
tǐyù	体育	physical education	5-14
tǐyùguǎn	体育馆	a gym; a stadium	5-14
tú	图	a picture	5-13
túshūguǎn	图书馆	a library	5-13
wài	外	outside	2-4
wàiyǔ	外语	a foreign language	5-14

Index I

... wán	...完	to finish doing...	6-16
wǎnfēng	晚风	wind of evening	3-8
wàngjì	忘记	to forget	1-3
wēndù	温度	temperature	3-7
wénhuà	文化	a culture	5-14
wèn lù	问路	to ask the way	1-3
wèntí	问题	a question; a problem	6-16
wòshì	卧室	a bedroom	2-5
wǔ fēnzhōng	五分钟	5 minutes	5-15
wúlùn... dōu...	无论…都…	no matter	6-18
wúlùn..., háishì...	无论…，还是…	no matter... or...	6-17
wǔ lóng	舞龙	to do dragon dance	4-10
wǔ shī	舞狮	to do lion dance	4-10
wùlǐ	物理	physics	5-14
xī	西	west	1-1
xīběi	西北	northwest	1-1
xīnán	西南	southwest	1-1
Xīshì	西式	Western style	1-2
xīwàng	希望	to hope; a hope	4-11
xǐ	洗	to wash	2-5
xǐshǒujiān	洗手间	a toilet; a powder room	2-5
xǐyījiān	洗衣间	a laundry room	2-5
xià	夏	summer	3-8
xià	下	down	2-4
xià jié kè	下节课	next class period	5-15
xiàkè	下课	class dismissal	5-15
xià lái	下来	to come down	3-8
xià qù	下去	to go down	3-8
xiàxuě	下雪	to snow	3-7
xiàyǔ	下雨	to rain	3-7
xiàyǔtiān	下雨天	a rainy day	3-7
xiān..., zài...	先…，再…	first..., then...	1-3
xiān..., ránhòu...	先…，然后…	first..., then...	4-11
xiāngxià	乡下	in the countryside	2-4
xiǎngdào	想到	to think of...	5-13
xiàng	象	to be alike	5-13

xiàng	向	to; toward	1-3
xiàng yòu zhuǎn	向右转	to make a right turn	1-3
xiǎochīdiàn	小吃店	a snack restaurant	1-2
xiǎoshíhòu	小时候	in someone's childhood	4-12
xiǎoshí	小时	an hour	3-9
xiǎoshuō	小说	a novel	6-17
xiào	笑	to laugh	3-7
xiàohua	笑话	a joke	6-17
xiàoyuán	校园	a campus	5-13
xiàozhǎngshì	校长室	a principal's office	5-13
xiě xìn gěi	写信给	to write a letter to...	2-4
xìn	信	a letter	2-4
xìnxiāng	信箱	a mailbox	6-17
xīng	星	a star	3-8
xuébuhuì	学不会	to be unable to learn	3-9
xuédehuì	学得会	to be able to learn	3-9
xuéhuì le	学会了	to have learned	3-9
xuékē	学科	a school subject	5-14
xuénián	学年	a school year	4-11
xuéqī	学期	a semester	4-11
xuě	雪	snow	3-7
xuěrén	雪人	a snowman	3-9
xuéxí	学习	to study	4-11
Yàzhōu	亚洲	Asia	1-1
yàoshì	要是	if	1-2
yěcān	野餐	a picnic; to have a picnic	3-9
yī	衣	clothing	2-5
yī... jiù...	一…就…	as soon as	2-6
yí cì	一次	once	1-2
yídìng	一定	definitely	2-4
yíyàng	一样	the same	3-7
yìbiānr	一边儿	at the same time	4-11
yìhuǐr	一会儿	a short while	2-6
yìqǐ	一起	together	1-2
yìxiē	一些	some (for plural)	5-14
yìzhí zǒu	一直走	to go straight	1-3

yīwùshì	医务室	a medical room; a dispensary	5-13
yǐzi	椅子	a chair	2-5
yǐhòu	以后	from now on; after...	4-11
yǐqián	以前	before; ... ago	3-8
yǐwéi	以为	thought (as a verb)	6-18
yǐjīng	已经	already	2-4
yīnggāi	应该	should	4-11
yīntiān	阴天	a cloudy day	3-7
yīnyuè	音乐	music	5-14
yínháng	银行	a bank	1-2
yín sè	银色	silver color	3-8
yīngxióng	英雄	a hero	6-17
yònggōng	用功	to study hard	4-11
yóujú	邮局	a post office	1-2
yóuyǒng	游泳	to swim	3-9
yóuyǒngchí	游泳池	a swimming pool	5-13
yǒude	有的	some	3-8
yǒu kè	有课	to have a class	5-15
yǒu rén	有人	somebody	5-13
yǒu shíhòu	有时候	sometimes	4-12
yǒuyìsi	有意思	interesting	3-8
yòu	右	right	1-3
yòu	又	again	4-12
yúkuài	愉快	happy	6-18
yǔ	雨	rain	3-7
yǔ	语	a language	5-14
yǔwén	语文	language and literature	5-14
yùshì	浴室	a bathroom	2-5
yuèláiyuè	越来越	more and more	3-8
yuè... yuè...	越…越…	the more..., the more...	4-11
yuèguāng	月光	moonlight	3-8
yuèliàng	月亮	moon	3-8
yún	云	a cloud	3-7
yùndòngchǎng	运动场	a sports field	5-13
zài	再	again; then	4-12
zài... de shíhòu	在…的时候	when...	4-12

zěnme zǒu	怎么走	how to get to...	1-3
zhāng	张	M.W. for tables, beds, photos	2-5 4-12
zhǎo	找	to look for	5-13
zhǎodào	找到	to find	5-13
zhàopiàn	照片	a photo	4-12
zhèi jié kè	这节课	this class period	5-15
zhèngzài	正在	to be doing	5-14
zhè xiē; zhèixiē	这些	these	4-10
zhōng	钟	a clock	5-15
Zhōngguóchéng	中国城	Chinatown	1-2
zhōngjiān	中间	middle	1-3
Zhōngshì	中式	Chinese style	1-2
zhōngxīn	中心	a center	1-3
zhòngyào	重要	important	5-13
zhōu	洲	a continent	1-1
zhù	住	to live; to reside	2-4
zhù	祝	to wish (someone happy...)	6-18
zhuǎn	转	to turn	1-3
zhuōzi	桌子	a table	2-5
zìxiū	自修	self-study	5-14
zǒu	走	to walk	1-3 2-6
zǒu dào	走到	to walk to...	1-3
zuì dī wēndù	最低温度	the lowest temperature	3-7
zuì gāo wēndù	最高温度	the highest temperature	3-7
zuìhǎo	最好	had better	5-15
zuì hòu	最后	the last; final	4-10
zuǒ	左	left	1-3
zuò	坐	to sit	2-6
zuòchuán	坐船	to ride in a boat	3-9
zuòxià	坐下	to sit down	2-6
zuò zài... shàng	坐在…上	to sit on...	2-6
zuòbuwán	做不完	to be not able to finish	6-16
zuòdewán	做得完	to be able to finish	6-16

Vocabulary List
(English – Pinyin)

(* 3-1 = Unit 3 Lesson 1; M.W. = measure word)

a place for a store, guests or cultural activities	guǎn	馆	2-4
a short while	yìhuǐr	一会儿	2-6
abroad	guó wài	国外	2-4
activity (an)	huódòng	活动	3-9
address (an)	dìzhǐ	地址	2-4
afterwards; later	hòulái	后来	4-12
again	yòu	又	4-12
again; then	zài	再	4-12
air mail (an)	hángkōngxìn	航空信	6-18
already	yǐjīng	已经	2-4
although..., (but)...	suīrán..., kěshì...	虽然…，可是…	2-5
always	lǎoshì	老是	5-15
America (the continent)	Měizhōu	美洲	1-1
ancient	gǔdài	古代	6-17
art	měishù	美术	5-14
as early as (earlier than expected)	jiù	就	3-9
as late as (later than expected)	cái	才	5-15
as soon as	yī... jiù ...	一…就…	2-6
Asia	Yàzhōu	亚洲	1-1
ask the way (to)	wèn lù	问路	1-3
assignment (an)	gōngkè	功课	5-15
at all time	cónglái	从来	1-1
at home	jiālǐ	家里	2-4
at the foot of a mountain	shān xià	山下	2-4
at the same time	yìbiānr	一边儿	4-11
autumn	qiū	秋	3-8
aviation	hángkōng	航空	6-18
"ba" construction	bǎ... yī...	把…一…	5-15
back	hòu	后	1-3
bag (a), M.W. for bags of tea	bāo	包	2-6
bank (a)	yínháng	银行	1-2

basement (a)	dìxiàshì	地下室	2-5
bathroom (a)	yùshì	浴室	2-5
(movie) be on (to)	shàngyǎn	上演	1-3
be able to finish (to)	zuòdewán	做得完	6-16
be able to learn (to)	xuédehuì	学得会	3-9
be able to say clearly (to)	shuōde qīngchǔ	说得清楚	5-14
be away from (to); leave (to)	lí	离	1-1
be doing (to)	zhèngzài	正在	5-14
be interested in... (to)	duì... yǒu xìngqù	对…有兴趣	5-14
be not able to finish (to)	zuòbuwán	做不完	6-16
be not used to eating (to)	chībuguàn	吃不惯	6-16
be unable to learn (to)	xuébuhuì	学不会	3-9
be used to eating (to)	chīdeguàn	吃得惯	6-16
beautiful	měilì	美丽	3-8
bed (a)	chuáng	床	2-5
bedroom (a)	wòshì	卧室	2-5
before doing...	hái méiyǒu... yǐqián	还没有…以前	6-18
before getting to...	dào... yǐqián	到…以前	4-12
before; ... ago	yǐqián	以前	3-8
begin (to)	kāishǐ	开始	5-15
Beijing	Běijīng	北京	1-1
Beijing Road	Běijīng Lù	北京路	1-3
beside; next to...	pángbiān	旁边	1-3
blow (to)	chuī	吹	3-8
boat (a)	chuán	船	3-9
Book 2	dì èr cè	第二册	6-18
bookshelf (a)	shūjià	书架	6-17
borrow (to)	jiè	借	6-17
borrow... (and bring it here) (to)	bǎ... jiè lái	把…借来	6-17
borrow... (and take it away) (to)	bǎ... jiè zǒu	把…借走	6-17
brain (a)	nǎo	脑	5-13
bright	liàng	亮	2-5
bring... to... (to)	bǎ... nádào... lái	把…拿到…来	4-10
building (a); floor (a)	lóu	楼	2-5
busy	máng	忙	4-10
by	bèi	被	6-17

cafe (a)	kāfēiguǎn	咖啡馆	1-2
cafeteria (a)	shítáng	食堂	5-13
call someone (to)	dǎdiànhuà gěi	打电话给	2-6
campus (a)	xiàoyuán	校园	5-13
candy (a)	táng	糖	2-6
cartoon	kǎtōng	卡通	6-17
center (a)	zhōngxīn	中心	1-3
chair (a)	yǐzi	椅子	2-5
chemistry	huàxué	化学	5-14
Chinatown	Zhōngguóchéng	中国城	1-2
Chinese New Year	Chūnjié	春节	4-10
Chinese New Year's Day	Nián chūyī	年初一	4-10
Chinese New Year's Eve	Dàniányè	大年夜	4-10
Chinese style	Zhōngshì	中式	1-2
cinema (a)	diànyǐngyuàn	电影院	1-2
city (a)	chéng	城	2-4
city (a)	chéngshì	城市	1-1
clap (to); pat (to)	pāi	拍	4-12
class (a)	bān	班	3-7
class dismissal	xiàkè	下课	5-15
class schedule (a)	kèbiǎo	课表	5-15
classroom (a)	jiàoshì	教室	5-13
clearly	qīngchǔ	清楚	5-14
climb a mountain (to)	páshān	爬山	3-9
climb (to); crawl (to)	pá	爬	3-9
clock (a)	zhōng	钟	5-15
cloth	bù	布	1-2
cloth shoes	bù xié	布鞋	1-2
clothing	fúzhuāng	服装	1-2
clothing	yī	衣	2-5
clothing store (a)	fúzhuāngdiàn	服装店	1-2
cloud (a)	yún	云	3-7
cloudy	duōyún	多云	3-7
cloudy day (a)	yīntiān	阴天	3-7
coffee	kāfēi	咖啡	1-2
cold	lěng	冷	3-7

come back (to)	huí lái	回来	4-12
come down (to)	xià lái	下来	3-8
come in (to)	jìn lái	进来	3-8
come out (to)	chū lái	出来	3-8
come up (to)	shàng lái	上来	3-8
company (a)	gōngsī	公司	1-2
computer room (a)	diànnǎoshì	电脑室	5-13
Confucius Temple	Kǒngmiào	孔庙	1-2
congratulations	gōngxǐ	恭喜	4-10
continent (a)	zhōu	洲	1-1
continue (to)	jìxù	继续	6-18
convenient	fāngbiàn	方便	2-4
cool; chilly	liángkuài	凉快	3-7
country (a)	guójiā	国家	1-1
crossing (a); intersection (an)	lùkǒu	路口	1-3
culture (a)	wénhuà	文化	5-14
cup (a), M.W. for water or tea	bēi	杯	2-6
cut (to)	jiǎn	剪	6-18
Daqian Street	Dàqián Jiē	大前街	1-3
daughter (a)	nǚ'ér	女儿	5-13
daytime	báitiān	白天	3-8
dear	qīn'ài de	亲爱的	6-18
definitely	yídìng	一定	2-4
die (to)	sǐ	死	5-15
dining room (a)	fàntīng	饭厅	2-5
do dragon dance (to)	wǔ lóng	舞龙	4-10
do lion dance (to)	wǔ shī	舞狮	4-10
do not understand by listening	tīngbudǒng	听不懂	6-16
do not understand by reading	kànbudǒng	看不懂	5-14
do... correctly (to)	... de duì	…得对	4-11
do... incorrectly (to)	... de bú duì	…得不对	4-11
don't... (imperative)	bié	别	3-7
double negative to indicate strong positive meaning	méiyǒu... bù...	没有…不…	6-18
down	xià	下	2-4
downstairs	lóu xià	楼下	2-5

dragon (a)	lóng	龙	4-10
drive (to)	kāi	开	1-3
during class	shàngkè de shíhòu	上课的时候	4-12
each class period	měi jié kè	每节课	5-15
east	dōng	东	1-1
eat more (to)	duō chī yìdiǎnr	多吃一点儿	2-6
enter (to)	jìn	进	2-6
Europe	Ōuzhōu	欧洲	1-1
even	lián... yě...	连…也…	5-13
even more	gèng	更	2-5
exactly is	jiù shì	就是	4-11
except for...; besides	chúle... yǐwài	除了…以外	5-14
exchange (to)	huàn	换	5-15
extremely...	... sǐ le	…死了	3-7
fall down (to)	luòxiàlái	落下来	3-8
fear (to)	pà	怕	3-7
find (to)	zhǎodào	找到	5-13
fine day (a)	qíngtiān	晴天	3-7
fine day (a); cloudless	shǎoyún	少云	3-7
finish doing... (to)	... wán	…完	6-16
finish doing... (to)	... hǎo	…好	6-16
fire-red color	huǒhóng sè	火红色	3-8
firecrackers	biānpào	鞭炮	4-10
first	dì yī	第一	1-1
first..., then...	xiān..., ránhòu...	先…，然后…	4-11
first..., then...	xiān..., zài...	先…，再…	1-3
five minutes	wǔ fēnzhōng	五分钟	5-15
fly (to)	fēi	飞	3-9
fly a kite (to)	fàng fēngzhēng	放风筝	3-9
fly away (to)	fēi zǒu	飞走	3-9
food	shípǐn	食品	1-2
for a long time	jiǔ	久	4-11
foreign language (a)	wàiyǔ	外语	5-14
forget (to)	wàngjì	忘记	1-3
four seasons	sìjì	四季	3-8
from now on; after...	yǐhòu	以后	4-11

from... go to...	cóng... dào... qù	从···到···去	4-11
from... come to...	cóng... dào... lái	从···到···来	4-11
front	qián	前	1-3
garage (a)	chēfáng	车房	2-5
garden (a)	huāyuán	花园	2-5
gate (a); door (a)	mén	门	1-3
geography	dìlǐ	地理	5-14
gift (a)	lǐpǐn	礼品	1-2
gift store (a)	lǐpǐndiàn	礼品店	1-2
gift; present (a)	lǐwù	礼物	4-12
give... (to)	bǎ... gěi...	把···给···	4-10
give to... (as a gift) (to)	sòng gěi	送给	1-2
go down (to)	xià qù	下去	3-8
go in (to)	jìn qù	进去	3-8
go or come out (to)	chū	出	1-3
go out (to)	chū qù	出去	3-7
go straight (to)	yìzhí zǒu	一直走	1-3
go to work (to)	shàngbān	上班	2-4
go up (to)	shàng qù	上去	3-8
golden color	jīnhuáng sè	金黄色	3-8
grades; scores	chéngjī	成绩	6-16
grass	cǎo	草	2-5
Great Wall	Chángchéng	长城	1-1
grocery store (a)	shípǐn gōngsī	食品公司	1-2
gym (a); stadium (a)	tǐyùguǎn	体育馆	5-14
habitual	guàn	惯	6-16
had better	zuìhǎo	最好	5-15
half	bàn	半	3-8
half a day	bàn tiān	半天	3-8
half a month	bàn ge yuè	半个月	3-8
half a year	bàn nián	半年	3-8
hand (a)	shǒu	手	2-5
happy	yúkuài	愉快	6-18
have a class (to)	yǒu kè	有课	5-15
have a vacation (to)	dùjià	度假	4-11
have learned (to)	xuéhuì le	学会了	3-9

have never done... (to)	cónglái méi... guò	从来没···过	1-1
have no class (to)	méiyǒu kè	没有课	5-15
have not learned (to)	méi xuéhuì	没学会	3-9
help (to)	bāng	帮	4-10
hero (a)	yīngxióng	英雄	6-17
history	lìshǐ	历史	5-14
hold (to); take (to)	ná	拿	4-10
hope (to); hope (a)	xīwàng	希望	4-11
hot	rè	热	3-7
hot water	rè shuǐ	热水	6-16
hotel (a)	lǚguǎn	旅馆	4-12
hour (an)	xiǎoshí	小时	3-9
house (a)	fángzi	房子	2-5
how long	duōjiǔ	多久	4-11
how many class periods	jǐ jié kè	几节课	5-15
how to get to...	zěnme zǒu	怎么走	1-3
Hua Mulan	Huā Mùlán	花木兰	6-17
ice water	bīng shuǐ	冰水	2-6
if	yàoshì	要是	1-2
if not..., then...	bú shì..., jiù shì...	不是···，就是···	6-16
fall ill or sick (to)	bìng	病	5-15
immediately	mǎshàng	马上	2-6
important	zhòngyào	重要	5-13
in someone's childhood	xiǎo shíhòu	小时候	4-12
in a hurry	jímáng	急忙	6-18
in addition	érqiě	而且	2-4
in the city	chéng lǐ	城里	2-4
in the countryside	xiāngxià	乡下	2-4
in the east of...; eastern; oriental	dōngfāng	东方	1-1
in the front	qiánbiān	前边	1-3
incoming letter (an)	láixìn	来信	6-18
inside	lǐ	里	2-4
interesting	yǒuyìsi	有意思	3-8
it will... soon	... kuài... le	···快···了	4-11
it's very...	... de bùdéliǎo	···得不得了	3-7
join (to)	cānjiā	参加	6-18

joke (a)	xiàohua	笑话	6-17
joke (to)	kāiwánxiào	开玩笑	3-7
just now	gāng	刚	6-16
kitchen (a)	chúfáng	厨房	2-5
kite (a)	fēngzhēng	风筝	3-9
lake (a)	hú	湖	3-9
lane (a); alley (an)	lòng	弄	2-6
language (a)	yǔ	语	5-14
language and literature	yǔwén	语文	5-14
last class period	shàng jié kè	上节课	5-15
late	chídào	迟到	5-15
laugh (to)	xiào	笑	3-7
laundry room (a)	xǐyījiān	洗衣间	2-5
lawn	cǎodì	草地	2-5
leaf (a)	shùyè	树叶	3-8
left	zuǒ	左	1-3
lend (to)	jiè gěi	借给	6-17
lend... to... (to)	bǎ... jiè gěi...	把…借给…	6-17
letter (a)	xìn	信	2-4
level open space (a)	chǎng	场	5-13
library (a)	túshūguǎn	图书馆	5-13
lion (a)	shī	狮	4-10
live (to); reside (to)	zhù	住	2-4
living room (a)	kètīng	客厅	2-5
London	Lúndūn	伦敦	1-1
look for (to)	zhǎo	找	5-13
look (to); watch (to); read (to)	kàn	看	2-6
love (to)	ài	爱	5-13
luck money envelope (a)	hóngbāo	红包	4-10
mail a letter (to)	jìxìn	寄信	6-18
mail... (to somewhere) (to)	jì qù	寄去	6-18
mail... (here) (to)	jì lái	寄来	6-18
mailbox (a)	xìnxiāng	信箱	6-17
main room of a house (a)	tīng	厅	2-5
make a right turn (to)	xiàng yòu zhuǎn	向右转	1-3
make a trip to... (to)	qù... lǚxíng	去…旅行	4-12

make a snowman (to)	duī xuěrén	堆雪人	3-9
mathematics	shùxué	数学	5-14
meal (a)	cān	餐	3-9
men's room (a)	nán cèsuǒ	男厕所	5-13
messy	luàn	乱	2-5
middle	zhōngjiān	中间	1-3
midnight	bànyè	半夜	3-8
moon	yuèliàng	月亮	3-8
moonlight	yuèguāng	月光	3-8
more and more	yuèláiyuè	越来越	3-8
move (to)	bān	搬	5-14
move (residence) (to)	bānjiā	搬家	5-14
music	yīnyuè	音乐	5-14
M.W. for chairs	bǎ	把	2-5
M.W. for houses	dòng	栋	2-5
M.W. for rooms or sentences	ge	个	2-5 6-16
M.W. for tables, beds, photos	zhāng	张	2-5 4-12
M.W. for leaves	piàn	片	3-8
M.W. for letters	fēng	封	2-4
M.W. for class periods	jié	节	5-15
M.W. for gifts or objects	jiàn	件	4-12
M.W. for shoes	shuāng	双	1-2
M.W. for video tapes	hé	盒	6-17
Nanjing	Nánjīng	南京	1-1
national capital (a)	shǒudū	首都	1-1
nearby; vicinity	fùjìn	附近	5-13
nearly the same	chàbuduō	差不多	3-7
never...	cónglái bù...	从来不…	2-4
New Year couplets	chūnlián	春联	4-10
New York	Niǔyuē	纽约	1-2
next class period	xià jié kè	下节课	5-15
no matter	wúlùn... dōu...	无论…都…	6-18
no matter... or...	wúlùn..., háishì...	无论…，还是…	6-17
no matter... or...	búlùn..., háishì...	不论…，还是…	6-17

No.1 Middle School	Dì Yī Zhōngxué	第一中学	5-13
noisy	nào	闹	2-4
north	běi	北	1-1
northeast	dōngběi	东北	1-1
northwest	xīběi	西北	1-1
not as... as...	... méiyǒu...	…没有…	1-1
not in a hurry	bù jí	不急	6-17
not only..., but also...	búdàn... érqiě...	不但…而且…	2-5
not sure	bù yídìng	不一定	4-12
not... at all	bìng bù	并不	3-9
novel (a)	xiǎoshuō	小说	6-17
medical room (a); dispensary (a)	yīwùshì	医务室	5-13
office (an)	bàngōngshì	办公室	5-13
often	jīngcháng	经常	5-13
on the mountain	shān shàng	山上	2-4
once	yí cì	一次	1-2
opposite	duìmiàn	对面	1-3
of (for statements)	huòzhě	或者	2-6
originally	běnlái	本来	4-12
other; else	biéde	别的	5-14
out of the city	chéng wài	城外	2-4
outside	wài	外	2-4
outside the door	mén wài	门外	2-4
palace (a)	gōng	宫	4-12
Palace Museum	Gùgōng	故宫	4-12
paper cut	jiǎnzhǐ	剪纸	6-18
park (a)	gōngyuán	公园	3-9
parking lot (a)	tíngchēchǎng	停车场	5-13
paste (to); stick (to)	tiē	贴	4-10
paste... on... (to)	bǎ... tiē zài...	把…贴在…	4-10
pen pal (a)	bǐyǒu	笔友	6-18
people	rénmín	人民	1-3
period (a); lesson (a)	kè	课	5-15
photo (a)	zhàopiàn	照片	4-12
physical education	tǐyù	体育	5-14
physics	wùlǐ	物理	5-14

Index II

picnic (a); have a picnic (to)	yěcān	野餐	3-9
picture (a)	tú	图	5-13
pile up (to)	duī	堆	3-9
pity (a)	kěxī	可惜	5-14
place (a)	dìfāng	地方	1-1
plan (to); plan (a)	dǎsuàn	打算	4-11
plane (a)	fēijī	飞机	4-11
play firecrackers (to)	fàng biānpào	放鞭炮	4-10
pool (a)	chí	池	5-13
population	rénkǒu	人口	1-1
post office (a)	yóujú	邮局	1-2
pretty; beautiful	piàoliàng	漂亮	2-4
principal's office (a)	xiàozhǎngshì	校长室	5-13
put... on... (to)	bǎ... fàng zài... shàng	把…放在…上	4-10
put on (to)	chuānshàng	穿上	4-10
put (to); to let go	fàng	放	3-9
put... in... (to)	bǎ... fàng zài... lǐ	把…放在…里	6-17
question (a); problem (a)	wèntí	问题	6-16
quiet	ānjìng	安静	2-4
rain	yǔ	雨	3-7
rain (to)	xiàyǔ	下雨	3-7
rainy day (a)	xiàyǔtiān	下雨天	3-7
raw	shēng	生	6-16
raw vegetable	shēngcài	生菜	6-16
study (to)	dúshū	读书	3-9
receive (to)	shōu	收	6-18
receive a letter (to)	shōuxìn	收信	6-18
receive (to)	shōudào	收到	6-18
report (a)	bàogào	报告	6-16
restaurant (a)	fànguǎn	饭馆	1-2
restaurant (a); hotel (a)	fàndiàn	饭店	1-2
return (to)	huán	还	6-17
return to... (to)	huán gěi	还给	6-17
review (to)	fùxí	复习	6-18
ride in a boat (to)	zuòchuán	坐船	3-9
right	yòu	右	1-3

river (a)	hé	河	3-9
river (a)	jiāng	江	3-9
road (a)	lù	路	1-3
room (a)	fángjiān	房间	2-5
room (a); apartment (an)	shì	室	2-5 2-6
room (a); house (a)	fáng	房	2-5
row a boat (to)	huáchuán	划船	3-9
San Francisco	Jiùjīnshān	旧金山	1-2
school starts	kāixué	开学	4-11
school year (a)	xuénián	学年	4-11
sea (a)	hǎi	海	3-9
seashore (a)	hǎibiān	海边	3-9
season (a)	jìjié	季节	3-8
see... off (to) ; take someone to... (to)	sòng	送	2-6
self-study	zìxiū	自修	5-14
sell to... (to)	mài gěi	卖给	2-4
semester (a)	xuéqī	学期	4-11
send (to)	jì	寄	6-18
send a letter to... (to)	jìxìn gěi	寄信给	6-18
sentence (a)	jùzi	句子	6-16
shopping center (a)	gòuwù zhōngxīn	购物中心	1-3
should	yīnggāi	应该	4-11
silver color	yín sè	银色	3-8
sit (to)	zuò	坐	2-6
sit down (to)	zuòxià	坐下	2-6
sit on... (to)	zuò zài... shàng	坐在…上	2-6
skate (to)	liūbīng	溜冰	3-9
smooth	shùnlì	顺利	6-18
snack restaurant (a)	xiǎochīdiàn	小吃店	1-2
snow	xuě	雪	3-7
snow (to)	xiàxuě	下雪	3-7
snowman (a)	xuěrén	雪人	3-9
some	yǒude	有的	3-8
some (for plural)	yìxiē	一些	5-14
somebody	yǒu rén	有人	5-13

sometimes	yǒu shíhòu	有时候	4-12
south	nán	南	1-1
southeast	dōngnán	东南	1-1
southwest	xī'nán	西南	1-1
speak (to); talk (to)	shuōhuà	说话	6-17
sports field (a)	yùndòngchǎng	运动场	5-13
spring	chūn	春	3-8
spring vacation (a)	chūnjià	春假	4-11
star (a)	xīng	星	3-8
stay here please (to)	bú sòng	不送	2-6
stop (to)	tíng	停	5-13
store (a); shop (a)	diàn	店	2-4
store (a); shop (a)	shāngdiàn	商店	1-2
story (a)	gùshi	故事	6-17
street (a)	jiē	街	1-3
study (to)	xuéxí	学习	4-11
study hard (to)	yònggōng	用功	4-11
school subject (a)	xuékē	学科	5-14
suburb	jiāowài	郊外	3-9
summer	xià	夏	3-8
sun	tàiyáng	太阳	3-7
swim (to)	yóuyǒng	游泳	3-9
swimming pool (a)	yóuyǒngchí	游泳池	5-13
table (a)	zhuōzi	桌子	2-5
take a picture (to)	pāi zhàopiàn	拍照片	4-12
take... to... (to)	bǎ... nádào... qù	把…拿到…去	4-10
tell (to)	gàosu	告诉	2-6
tell a joke (to)	shuō xiàohua	说笑话	6-17
temperature	wēndù	温度	3-7
thank (to)	gǎnxiè	感谢	6-18
thank-you letter (a)	gǎnxièxìn	感谢信	6-18
the 2nd class period	dì èr jié kè	第二节课	5-15
the 2nd floor	èr lóu	二楼	2-6
the dinner on the Eve of the Chinese New Year	niányèfàn	年夜饭	4-10
the highest temperature	zuì gāo wēndù	最高温度	3-7

Index II

the last; final	zuì hòu	最后	4-10
the lowest temperature	zuì dī wēndù	最低温度	3-7
the more..., the more...	yuè... yuè...	越…越…	4-11
the same	yíyàng	一样	3-7
then	ránhòu	然后	4-11
these	zhè xiē; zhèixiē	这些	4-10
think of... (to)	xiǎngdào	想到	5-13
this class period	zhèi jié kè	这节课	5-15
those	nà xiē; nèixiē	那些	4-10
thought (as a verb)	yǐwéi	以为	6-18
thunder (a)	léi	雷	3-7
thunder (to)	dǎléi	打雷	3-7
time for class	shàngkè	上课	5-15
tired	lèi	累	5-15
to be alike	xiàng	像	5-13
to celebrate one's birthday	guò shēngrì	过生日	4-12
to; toward	xiàng	向	1-3
together	yìqǐ	一起	1-2
toilet (a); powder room (a)	xǐshǒujiān	洗手间	2-5
toilet (a); rest room (a)	cèsuǒ	厕所	2-5
top	shàng	上	2-4
traffic light (a)	hónglǜdēng	红绿灯	1-3
travel (to)	lǚxíng	旅行	4-12
turn (to)	zhuǎn	转	1-3
TV set (a)	diànshìjī	电视机	5-13
two class periods	liǎng jié kè	两节课	5-15
understand (to)	dǒng	懂	6-16
understand by listening (to)	tīngdedǒng	听得懂	6-16
understand by reading (to)	kàndedǒng	看得懂	5-14
upstairs	lóu shàng	楼上	2-5
urgent	jí	急	6-17
vacation (a); holiday (a)	jià	假	4-11
very	fēicháng	非常	3-7
video tape (a)	lùxiàngdài	录像带	6-17
visit friends (to)	fǎngyǒu	访友	2-6
volume (a)	cè	册	6-18

wait (to)	děng	等	2-6
walk to... (to)	zǒu dào	走到	1-3
walk (to)	zǒu	走	1-3 2-6
warm	nuǎnhuo	暖和	3-7
warm (personality); hospitable	rèqíng	热情	2-6
wash (to)	xǐ	洗	2-5
Washington, D.C.	Huáshèngdùn	华盛顿	1-1
water without being boiled	shēngshuǐ	生水	6-16
weather	tiānqì	天气	3-7
west	xī	西	1-1
Western style	Xīshì	西式	1-2
when...	... de shíhòu	…的时候	4-12
when...	zài... de shíhòu	在…的时候	4-12
where	shénme dìfāng	什么地方	1-1
which floor	jǐ lóu	几楼	2-6
which class period	dì jǐ jié kè	第几节课	5-15
which class period	nǎ / něi jié kè	哪节课	5-15
which (for plural)	nǎ xiē; něixiē	哪些	4-10
whole	quán	全	4-10
wind	fēng	风	3-7
wind of evening	wǎnfēng	晚风	3-8
windy	guāfēng	刮风	3-7
winter	dōng	冬	3-8
winter vacation	hánjià	寒假	4-11
wish (someone happy...) (to)	zhù	祝	6-18
wish... a Happy New Year (to)	gěi... bàinián	给…拜年	4-10
women's room (a)	nǚ cèsuǒ	女厕所	5-13
woods	shùlín	树林	2-5
work (a); work (to)	gōngzuò	工作	1-3
world (a)	shìjiè	世界	1-1
world map (a)	shìjiè dìtú	世界地图	1-1
write a letter to... (to)	xiě xìn gěi	写信给	2-4
write in reply (to)	huíxìn	回信	6-18
Yangtze River	Chángjiāng	长江	3-9

Structure List

(* 1-2 = Unit 1 Lesson 2)

#			
1.	... bǎ... gěi...	…把…给…	... give somebody something	4-10
2.	... bǎ... fàng zài... lǐ	…把…放在…里	... put something in...	6-17
3.	... bǎ... fàng zài... shàng	…把…放在…上	... put something on...	4-10
4.	... bǎ... jiè zǒu le. ... bǎ... jiè lái le.	…把…借走了。 …把…借来了。	... borrowed... (taken away) ... borrowed... (brought it here)	6-17
5.	... bǎ... nádào... qù. ... bǎ... nádào... lái.	…把…拿到…去。 …把…拿到…来。	... bring... there ... take... here	4-10
6.	... bǎ... verb + yī + verb	…把… verb + 一 + verb	"ba" construction	5-15
7.	... bèi...	…被…	... by...	6-17
8.	... běnlái..., kěshì hòulái...	…本来…，可是后来…	Originally, ..., but later...	4-12
9.	... bǐ... (for comparison) ... bǐ... yìdiǎnr ... bǐ... de duō	…比… …比…一点儿 …比…得多	... more (less) than... ... a little... than... ... a lot... than...	1-1
10.	... bǐ... gèng...	…比…更…	... even more... than...	3-7
11.	... méiyǒu...	…没有…	... not as... as...	1-1
12.	Bié...	别…	Don't...	3-7
13.	... bìng bù / bú...	…并不…	not at all	3-9
14.	bù + verb méi (yǒu) + verb hái méi (yǒu) + verb	不 + verb 没（有）+ verb 还没（有）+ verb	... do not + verb ... did not + verb ... have not + verb, yet	2-4
15.	... bù zhīdào + question	…不知道… + question	... do not know + question	2-6
16.	... búdàn..., érqiě...	…不但…，而且…	... not only..., but also...	2-5
17.	Búlùn shì..., háishì...	不论是…，还是…	No matter..., or...	6-17
18.	... bú shì... jiù shì...	…不是…就是…	If not..., then...	6-16
19.	... time + how + cóng... dào... (qù / lái) ... time + cóng... + how + dào... (qù / lái)	…time + how + 从…到… （去／来） …time + 从… how + 到… （去／来）	... go (come) to... from... by... at a certain time	4-11
20.	Chúle... yǐwài, ...	除了…以外，…	Except for..., ...	5-14
21.	cónglái bù + verb cónglái méi (yǒu) + verb +guò	从来不 + verb 从来没（有）+ verb + 过	never do something have never done something	2-4
22.	... dǎsuàn zài + place + verb + a period of time	…打算在 + place + verb + a period of time	... plan to... in a certain place for a period of time	4-11
23.	... + de + noun	… + 的 + noun	adj. + noun	6-18
24.	verb + de + noun	verb + 的 + noun	verb + noun	6-18
25.	subject + verb + de + noun	subject + verb + 的 + noun	subject + verb + noun	6-18
26.	... verb + de + manner	…verb + 得 + manner	...verb + adv. (how)	6-18
27.	... manner + de + verb	…manner + 地 + verb	...adv. (how) + verb	6-18
28.	verb + de duì verb + de bú duì	verb + 得对 verb + 得不对	(do something) correctly (do something) incorrectly	4-11

Appendix

29.	verb + deguàn verb + buguàn	verb + 得惯 verb + 不惯	be used to doing something be not used to doing something	6-16
30.	verb + dewán verb + buwán	verb + 得完 verb + 不完	be able to finish... be unable to finish...	6-16
31.	verb + wán le méi + verb + wán	verb + 完了 没 + verb + 完	have finished...; finished... have not finished...; did not finish...	6-16
32.	... de qiánbiān	...的前边	in front of...	1-3
33.	... de zuǒbiān zuǒbiān de...	...的左边 左边的...	on the left of... ... on the left	5-13
34.	... de shíhòu, ...	...的时候，...	When..., ...	4-12
35.	dì yī	第一	the first	1-1
36.	dìzhǐ (1) Zhōngguó, Shànghǎi Běijīng Xī Lù yìbǎi èrshí hào	地址(1) 中国上海 北京西路一百二十号	address (1) 120 Beijing West Road Shanghai, China	2-4
37.	dìzhǐ (2) Nánjīng Zhōng Lù 303 hào 5 lóu 1 shì Nánjīng Zhōng Lù 315 lòng 13 hào	地址(2) 南京中路303号5楼1室 南京中路315弄13号	address (2) 303 Nanjing Zhong Rd., Floor 5, Apt. 1 (for apartment buildings) Lane 315, Apt. 13 Nanjing Zhong Rd. (for apartments built in rows like townhouses in U.S.)	2-6
38.	běifāng běibiān	北方 北边	in the north of... to the north of...	1-1
39.	... duì... yǒu xìngqù	...对...有兴趣	... be interested in...	5-14
40.	..., érqiě...	...，而且...	..., in addition, ...	2-4
41.	... érqiě, gèng zhòngyào de shì...	...而且，更重要的是...	..., and more importantly, ...	5-13
42.	... gāng...	...刚...	... just...	6-17
43.	... gěi...	...给...	... give...	2-6
44.	verb + guò ... verb + guò... méiyǒu? ... verb + guò ... méi + verb + guò ... cónglái méiyǒu + verb + guò	verb + 过 ... verb + 过...没有？ ... verb + 过 ...没 + verb + 过 ...从来没有 + verb + 过	Have... ever done...? ... have done... I have not done... ... have never done...	1-1
45.	... háishì...? ... huòzhě...	...还是...？ ...或者...	... or...? ... or...	2-6
46.	Hái méiyǒu + ... yǐqián, ...	还没有 + ...以前，...	Before..., ...	6-18
47.	verb + hǎo	verb + 好	finish...	6-16
48.	... hǎo... a!	...好...啊！	... very...!	2-5
49.	hái méi (yǒu) + verb	还没（有） + verb	... have not + verb, yet (See: bù + verb)	2-4
50.	... hé... yíyàng... ... hé... chàbuduō	...和...一样... ...和...差不多	... and ... are the same. ... and... are nearly the same...	3-7

51.	... huì...	…会…	... will...	2-4
52.	... huì zài + place + verb + a period of time	…会在 + place + verb + a period of time	... will... in a certain place for a period of time	4-11
53.	... huòzhě...	…或者…	... or... (See: ... háishì...?)	2-6
54.	kàn kànjiàn	看 看见	look; read; watch see	2-6
55.	kàndejiàn kànbujiàn	看得见 看不见	be able to see be unable to see	3-9
56.	kànjiàn le méi kànjiàn	看见了 没看见	have seen have not seen	3-9
57.	kàndedǒng kànbudǒng	看得懂 看不懂	be able to understand be unable to understand	5-14
58.	kàndǒng le méi kàndǒng	看懂了 没看懂	have understood; understood have not understood; did not understand	5-14
59.	... kuài... le.	…快…了。	... will... soon.	4-11
60.	... jiù...	…就…	(for emphasizing)	1-3
61.	... jiù...	…就…	(indicating "earlier than expected")	3-9
62.	jiù + verb + le. cái + verb	就 + verb + 了。 才 + verb	(earlier than expected) (later than expected)	5-15
63.	... le.	…了。	(the end "le" - indicating the completion of an action up till now or sometime in the past)	3-8
64.	... le.	…了。	(the end "le" - indicating a change in the situation)	3-8
65.	... past time + verb + le.	… past time + verb + 了。	(for a past action)	4-12
66.	... past time + zài + place + verb + le + a period of time.	… past time + 在 + place + verb + 了 + a period of time.	... at a certain place for a certain period of time. (for a past action)	4-12
67.	... past time + zài + place + verb + le + number + M.W. + noun.	… past time + 在 + place + verb + 了 + number + M.W. + noun.	... (did) (a certain number of something) at a certain place. (for a past action)	4-12
68.	... past time + zài + place + verb + le + hěn duō + noun.	… past time + 在 + place + verb + 了 + 很多 + noun.	... (did) many (something) at a certain place.	4-12
69.	... verb + le... (yǐhòu), jiù...	… verb + 了…（以后），就…	(for talking about routine actions or future actions)	5-15
70.	... lí...	…离…	(place A) away from (place B)	1-1
71.	... mǎshàng (huì / jiù)...	…马上（会／就）…	... will... immediately.	2-6
72.	méi (yǒu) + verb	没（有）+ verb	... did not + verb (See: bù + verb)	2-4
73.	méi gàosu wǒ + question	没告诉我 + question	... did not tell me + question	2-6
74.	méiyǒu... bù...	没有…不…	No... not...	6-18

Appendix

-153-

75.	nǎr / shénme dìfāng	哪儿／什么地方	where	1-1
76.	... qù... ... dào... qù	…去… …到…去	... go to (a place)	1-2
77.	tèbié + verb	特别 + verb	especially + verb	1-2
78.	shéi dōu...	谁都…	People all...; Everyone...	3-9
79.	... shénme dōu..., lián... yě...	…什么都…，连…也…	... whatever..., even...	5-13
80.	... shì... de. ... shì shénme shíhòu... de? ... shì zěnme... de? ... shì hé shéi yìqǐ... de?	…是…的。 …是什么时候…的？ …是怎么…的？ …是和谁一起…的？	(emphasizing...) When did...? How did...? With whom did...?	1-2
81.	... shì... zuì+ adj. + de...	…是…最…的…	... the most... in...	1-1
82.	... sòng...	…送…	... take... to...; ... see... off	2-6
83.	... sòng gěi...	…送给…	... give... to... as a gift	1-2
84.	Suīrán..., kěshì...	虽然…，可是…	Although..., (but)...	2-5
85.	verb + xiàlái / xiàqù	verb + 下来／下去	... down (here) / ... down (there)	3-8
86.	... xiān..., zài...	…先…，再…	... first..., then...	1-3
87.	... xiān..., ránhòu...	…先…，然后…	... first..., then...	4-11
88.	... xiàng...	…象…	... be like	5-13
89.	zhèixiē+ noun nèixiē+ noun něixiē+ noun	这些 + noun 那些 + noun 哪些 + noun	these... those... which... (for plural)	4-10
90.	yìxiē + noun yǒuxiē + noun	一些 + noun 有些 + noun	some... some...	5-14
91.	xuédehuì xuébuhuì	学得会 学不会	be able to learn be unable to learn	3-9
92.	xuéhuì le méi xuéhuì	学会了 没学会	have learned; learned have not learned; did not learn	3-9
93.	Yàoshì..., nà yǒu duō hǎo a!	要是…，那有多好啊！	It would be nice if...!	1-2
94.	yìbiānr..., yìbiānr...	一边儿…，一边儿…	..., at the same time...	4-11
95.	... yī... jiù...	…一…就…	As soon as..., (then)...	2-6
96.	Yǐhòu, ...	以后，…	From now on, ...	4-11
97.	... yǐhòu, ...	…以后，…	After..., ...	4-11
98.	... verb + le... (yǐhòu), ... huì... ... verb + le... (yǐhòu), ... jiù...	… + verb + 了…（以后），…会… … + verb + 了…（以后），…就…	After..., ... will...	6-16
99.	... verb + le... (yǐhòu), jiù... le.	… + verb + 了…（以后），就…了。	After..., ... (for past actions)	6-16
100.	... wán	…完	finish...	6-16
101.	Wúlùn... dōu...	无论…都…	No matter... all...	6-18
102.	Wúlùn shì..., háishì...	无论是…，还是…	No matter..., or...	6-17
103.	Yǐqián, ...	以前，…	Before, ...	4-12
104.	... yǐqián, ...	…以前，…	... ago, ... Before..., ...	4-12

105.	... yǐqián, ... huì...	…以前，…会…	Before..., ... will...	6-16
106.	... yǐqián, ... jiù... le.	…以前，…就…了。	Before..., ... (for past actions)	6-16
107.	yǒude..., yǒude...	有的…，有的…	Some..., some...	3-8
108.	... yǒu yìdiǎnr...	…有一点儿…	... a little bit too...	2-5
109.	yòu	又	again - for a past or present event	4-12
110.	... yòu... yòu...	…又…又…	... and...	2-5
111.	yuè... yuè...	越…越…	the more..., the more...	4-11
112.	... yuèláiyuè...	…越来越…	... more and more...	3-8
113.	... zài...	…在…	to be located	1-1
114.	... zài... gōngzuò. ... zài... jiāoshū.	…在…工作。 …在…教书。	... work(s) in / at... ... teach(es) in / at...	1-3
115.	... zài... hòubiān. ... zài... hé... de zhōngjiān.	…在…后边。 …在…和…的中间。	... behind... ... in the middle of... and...	1-3
116.	... zài + verb	…在 + verb	... be doing...	1-3
117.	... zài... (yǐjīng) zhù le... le.	…在…（已经）住了…了。	... have been living in... for...	2-4
118.	... zài + somewhere + do something	…在 + somewhere + do something	... do something in / at...	2-4
119.	..., zài...	…，再…	..., then...	1-3
120.	zài	再	again - for a future action (See: yòu)	4-12
121.	zài + verb	再 + verb	not now; later	5-15
122.	... zěnme + verb (...)?	…怎么…？	How do... do...?	1-3
123.	zhǎodedào zhǎobudào zhǎodào le méi zhǎodào	找得到 找不到 找到了 没找到	be able to find be unable to find have found / found have not found / did not find	5-13
124.	Zhème... shéi bù... ne?	这么…谁不…呢？	Who wouldn't... such (so)...?	5-13
125.	... zhù zài...	…住在…	... live in / at...	2-4
126.	... zuì... de (...). ... zhōng zuì... de (...).	…最…的（…）。 …中最…的（…）。	... the most among... ... the most in...	5-13
127.	... zuìhǎo...	…最好…	... had better	5-15

Measure Words

1.	bǎ	把	yì bǎ yǐzi (dāozi, chāzi)	a chair (a knife, a fork)	2-5
2.	dòng	栋	yí dòng fángzi	a house	2-5
3.	ge	个	yí ge fángjiān (wòshì, cèsuǒ)	a room (a bedroom, a half bathroom)	2-5
4.	kē	棵	yì kē shù	a tree	3-8
5.	piàn	片	yí piàn shùyè (yún)	a leaf (a cloud)	3-8
6.	zhāng	张	yì zhāng chuáng (zhuōzi, zhǐ)	a bed (a table, a sheet of paper)	2-5

Appendix